LE DON DE L'ORAISON

DU MÊME AUTEUR

chez le même éditeur

Apprendre à prier avec Sœur Élisabeth de la Trinité (7e éd.)
Prie ton Père dans le secret (14e éd.)
La prière du cœur (5e éd.)
Quand vous priez, dites : « Père... » (3e éd.)
La puissance de la prière (5e éd.)
En prière avec Marie, Mère de Jésus (3e éd.)
Persévérants dans la prière (7e éd.)
Ma vocation, c'est l'amour : Thérèse de Lisieux (6e éd.)
Le Chapelet. Un chemin vers la prière incessante (6e éd.)
Dis-moi une parole. Sentences sur la prière (6e éd.)
Jour et nuit (5e éd.)
Demeurer en Dieu (3e éd.)
Préférer Dieu (3e éd.)
La grâce de la prière (*Notre Père*, tome 1)
Un chemin de confiance, Thérèse de Lisieux
Deux cassettes : *La prière et le discernement dans l'Esprit*
Six cassettes : *Chercher Dieu et demeurer en Lui*

Jean Lafrance

LE DON DE L'ORAISON

Notre Père, Tome 2

MÉDIASPAUL

Ce livre posthume a été écrit par Jean Lafrance entre le 20 mars et le 5 juillet 1987.

© *Médiaspaul,* 1998
Médiaspaul Éditions, 8 rue Madame, 75006 Paris
ISBN 2-7122-0724-6

Pour le Canada
Médiaspaul, 3965, boul. Henri-Bourassa Est
Montréal, QC, H1H L1L

1

DE LA PRIÈRE A L'ORAISON

1. LE PÈRE EST PROCHE DE CEUX QUI L'INVOQUENT

Le Père *est proche de ceux qui l'invoquent et de tous ceux qui l'invoquent en vérité* (Ps 144, 18). Ainsi, lorsqu'un homme invoque en vérité le nom du Père, la réponse est inscrite dans la demande, le Père se rend proche et se laisse entrevoir par ceux qui le cherchent. C'est peut-être la plus grande joie réservée aux hommes de prière, sur qui repose l'Esprit Saint. Ils peuvent dire, comme saint Luc à propos du vieillard Syméon : *Et il lui avait été révélé par l'Esprit Saint qu'il ne verrait pas la mort, avant d'avoir vu le Christ du Seigneur* (Lc 2, 26).

Les hommes qui prient peuvent espérer que se réalisera pour eux cette parole. A force de demander cette grâce, ils doivent s'attendre un jour à recevoir ce qu'ils demandent puisque le Christ affirme qu'on obtient dans la prière tout ce que l'on demande en son nom. S'ils invoquent le nom du Père, c'est-à-dire s'ils demandent que ce nom vienne habiter dans leur cœur, un jour ou l'autre, ils recevront cette visite. Et ils seront alors récompensés de toutes les heures de supplication apparemment laissées sans réponse, comme Syméon a un jour reçu dans ses bras le Messie de Dieu, après être allé chaque jour au Temple pour l'attendre. Je ne vois pas de démarche qui définisse aussi bien ce qu'est l'oraison.

Il faut bien voir la différence qu'il y a entre la prière et l'oraison, entre l'invocation du nom et la découverte du visage du Père des cieux. Invoquer le Père est une chose, découvrir expérimentalement qu'il est le Père en étant en relation avec lui est une autre chose. C'est toute la différence qu'il y a entre la prière et l'oraison, qu'il ne faut pas confondre. Normalement, la prière, si elle est confiante, humble et persévérante, doit mener à l'oraison, mais elle ne s'identifie jamais avec elle. C'est pourquoi le Christ nous demande de commencer le *Pater* en invoquant le nom du Père, afin que son visage s'illumine en nous et que nous puissions entrer en dialogue avec lui. En ce sens, l'oraison ne s'identifie avec aucune autre forme de prière, qu'il s'agisse de la méditation, de la prière vocale, de la récitation de l'office ou de la participation à l'Eucharistie. Elle peut les imprégner toutes comme une onction d'huile imprègne une étoffe et il est même souhaitable qu'il en soit ainsi, sinon la prière devient machinale et routinière, mais l'oraison transcende toutes les formes de prière et ne s'identifie avec aucune d'elles.

J'ai presque envie de dire, mais cela risquerait de paraître prétentieux, que l'oraison est une activité du ciel et là, nous rejoignons la parole du Christ qui nous invite à prier *Notre Père qui es aux cieux*. Faire oraison, c'est anticiper le ciel sur la terre, en goûtant la joie d'entrevoir le visage du Père, d'entendre sa voix et de lui répondre. On comprend par là pourquoi les gens de l'Inquisition firent des problèmes à sainte Thérèse d'Avila quand elle commença à proposer l'oraison aux gens simples et aux « femmes de charpentier » ! On était encore proche des illuminés et des *Alumbrados* et certains se demandaient si tout cela était bien orthodoxe. « Peut-on espérer goûter le bonheur du ciel dès cette terre, en faisant oraison ? N'est-ce pas utopique et donc, hérétique ? »

Disons les choses d'une autre manière. Faire oraison, c'est voir les cieux ouverts et Jésus assis à la droite du Père en train d'intercéder pour nous. C'est exactement ce que dit Jésus à Nathanaël lorsqu'il lui affirme l'avoir vu en profondeur sous le figuier : *En vérité, en vérité, je vous le dis, vous verrez le ciel ouvert et les anges de Dieu monter et descendre au-dessus du Fils de l'homme* (Jn 1, 51). Remarquons en passant que pour « voir » le Père, il y a une opération « vérité » qui doit se réaliser en nous, c'est-à-dire tels que nous sommes. Jésus le dit à Nathanaël : *Quand tu étais sous le figuier, je t'ai vu* (Jn 1, 48). Et Jésus poursuit en disant pratiquement (même si nous glosons) : « Puisque tu as accepté d'être vu en profondeur tel que tu es, tu verras des choses plus grandes encore, tu verras le ciel ouvert et le Père ! »

2. FAIRE ORAISON, C'EST DÉCOUVRIR LE REGARD DU PÈRE

Nous sommes là, je crois, au cœur de l'oraison qui doit imprégner comme une huile tout le reste de la récitation du

Notre Père. Il faut que les cieux se déchirent et que nous ayons en permanence sous les yeux le visage du Père pour dire en vérité les autres demandes du *Pater*. Mais les cieux ne peuvent se déchirer qu'en réponse à une intense prière : *Ah ! Si tu déchirais les cieux !* (Is 63, 19). Ceci est clair dans le Baptême de Jésus en saint Luc : *Au moment où Jésus, baptisé lui aussi, se trouvait en prière, le ciel s'ouvrit et l'Esprit Saint descendit sur lui* (Lc 3, 21-22). Il semble que, pour Luc, c'est la prière de Jésus qui déchira les cieux et fit descendre l'Esprit Saint. Ici, on ne voit pas le visage du Père, mais on entend sa voix : *Tu es mon Fils bien aimé, tu as tout mon amour*. En disant cela, nous comprenons bien que c'est un idéal et que la plupart du temps, nous ne disons pas le *Notre Père* dans cette lumière-là. Il faut bien comprendre pourquoi et découvrir la différence qu'il y a entre l'invocation et la vision. On peut regarder vers le ciel et invoquer Celui qui s'y trouve pour qu'il déchire les cieux et nous montre son visage, mais cela ne viendra pas au terme d'un effort de l'homme, mais dans une action de Dieu qui déchirera les cieux ; ou mieux encore, c'est une révélation où le Père lève le voile qui nous cachait son visage. Pour connaître le Père, il faut que Jésus soulève le voile et nous le révèle (Mt 11, 27). C'est l'objet de la théologie du « Dévoilement » trinitaire.

Je voudrais essayer de dire cela dans un langage un peu plus philosophique que j'emprunterai au Père Jean-Miguel Garrigues dans un article paru dans la *Vie spirituelle* de juillet-août 1973 (n° 597), intitulé : « Voir les cieux ouverts ». Le passage que je vais citer forme les premières lignes de l'article. Il situe bien l'invocation par rapport à la vision, ou mieux encore la part qui revient à Dieu et celle qui revient à l'homme.

« Regarder dépend du vouloir, voir relève de l'être. Le regard repose dans la vision comme dans sa condition de possibilité. Pour cette raison, on peut apprendre à regarder mais on ne peut pas conquérir la vision aussi longtemps que quelque chose ne se donne pas à voir et qu'il ne nous est pas donné de le voir. Passer du regard à la vision, c'est sortir de la sphère de la volonté, dans laquelle l'homme moderne se trouve comme un poisson dans l'eau, pour entrer dans le domaine si étrange de l'être qui requiert de nous le simple mais si douloureux consentement au don. Ce passage pourrait sembler une aventure insolite et super-flue s'il n'était, pour nous chrétiens, requis par la nature même du but de notre foi : la vision de Dieu. »

On voit par là toute la distance qu'il y a entre regarder et voir, entre écouter et entendre, et pour le sujet qui nous occupe, entre l'invocation et la vision, c'est-à-dire entre la prière et l'oraison. Peut-être faut-il nous arrêter un instant sur ce mot « vision » et voir son rapport avec l'oraison. Il est clair que dans l'oraison, on ne voit pas Dieu, ni le Christ. L'affirmer serait un abus de langage et même dangereux, car le régime de l'oraison demeure toujours celui de la foi. Et cependant, il y a quelque chose qui se passe dans l'oraison, qui est de l'ordre de la vision ou, mieux encore, de la perception spirituelle ou de l'expérience.

Mais on peut difficilement dire si l'expérience se situe au niveau de la perception spirituelle du regard ou au niveau du cœur. Un spirituel, comme Silouane, qui a « vu » le visage du Seigneur, ajoute tout aussitôt que son cœur fut rempli de l'expérience de l'Esprit : « Un jour, pendant les Vêpres, je me tenais en prière devant l'icône du Sauveur, regardant l'image : "Seigneur Jésus Christ, aie pitié de moi, pécheur !" A ces mots, je vis à la place de l'icône le Seigneur Jésus vivant, et la grâce du Saint-Esprit remplit mon âme et mon corps. Et je connus dans le Saint-Esprit que Jésus Christ est Dieu et le désir de souffrir pour lui s'empara de moi[1]. »

3. L'ORAISON DU CŒUR

L'expérience de Silouane correspond à peu près à celle des disciples d'Emmaüs : à la fraction du pain, ils reconnaissent le Seigneur qui disparaît aussitôt, mais laisse leur cœur tout brûlant de la présence de l'Esprit Saint. Je crois que c'est dans la même ligne qu'il faut essayer de traduire ce qui se passe dans le cœur d'un homme qui prie, invoque le nom du Père et entre soudain en oraison, sous le regard de ce même Père. C'est ce que les Orientaux appellent la « prière du cœur », quand le Saint-Esprit surgit à l'improviste dans le cœur pour y allumer le feu de la prière. C'est l'oraison du cœur au sens où l'entendent le Père de Caussade ou le Père Piny.

On comprend ici le lien interne qui existe entre l'invocation et l'oraison. C'est à force d'invoquer le nom du Père, au sens où nous en avons parlé au paragraphe précédent, que l'oraison s'allume dans le cœur. Cette oraison consiste à nous laisser prendre, j'ai envie de dire « hypnotiser » par le regard du Père, comme Thérèse de l'Enfant-Jésus disait qu'elle aurait voulu être « magnétisée » par le Christ.

Nous retrouvons la même démarche chez les Orientaux : l'invocation du Nom fait jaillir la prière du cœur. C'est

---

1. SILOUANE, éd. Bellefontaine, *Spiritualité orientale*, n° 5, p. 17.

encore à Silouane que nous ferons appel, dans un beau texte où il montre le lien causal qui unit la prière des lèvres et la prière intérieure du cœur : « Si tu veux prier en ton cœur et que tu n'en sois pas capable, contente-toi de dire la prière[2] avec les lèvres et tiens ton esprit attentif à ce que tu dis. Le Seigneur, peu à peu, te donnera aussi la grâce de la prière intérieure et tu sauras alors prier sans distraction[3]. »

Faire l'expérience du regard du Père, à l'intérieur du cœur, c'est, disions-nous plus haut, anticiper le ciel sur la terre. En ce sens, il ne s'agit pas d'un lieu ou d'un temps, puisque c'est la vie éternelle vécue dans le temps. Nous sommes ici au-delà des catégories « espace-temps » pour entrer dans le cœur même de la vie éternelle, telle que Jésus nous en a parlé dans les chapitres 13 à 17 de saint Jean où il évoque sa vie d'amitié avec le Père, qui constitue le noyau même du secret trinitaire et du partage qu'il fait de ce secret avec les hommes. Ce qui fait le fond de la vie chrétienne, c'est que nous partageons avec le Christ le secret de sa communion avec le Père. Voyons comment Jésus définit la vie éternelle, ce qui est le fond même de la vie d'oraison, telle que Jésus en parle dans le *Pater* : *La vie éternelle, c'est qu'ils te connaissent, Toi, le seul véritable Dieu, et ton envoyé, Jésus Christ* (Jn 17, 3).

Lorsqu'on parle de connaître le Père en découvrant ainsi son regard, il ne nous faut pas focaliser notre attention uniquement sur le visage du Père car cette connaissance peut viser aussi le visage du Christ, puisqu'il s'agit *de*

---

2. Il s'agit bien sûr de la prière de Jésus : « Seigneur Jésus, Christ, Fils de Dieu Sauveur, prends pitié de moi, pécheur. »

3. SILOUANE, éd. Bellefontaine, *Spiritualité orientale*, n° 5, p. 41.

connaître le Père, dit saint Jean, *et son envoyé, Jésus Christ.* Lorsqu'un homme est vraiment entré dans la communion trinitaire (et qu'il est sur la voie de l'union transformante) au point qu'il réalise la parole du Christ : *Que tous soient un comme toi, Père, tu es en moi et moi en toi, qu'eux aussi soient un en nous* (Jn 17, 21), il ne se pose plus la question de privilégier soit une relation avec le Père, soit une relation avec le Christ. Thérèse d'Avila dit que l'on se pose ces questions lorsqu'on n'a pas encore réalisé que le Père est dans le Fils et le Fils dans le Père, mais le jour où cela est vécu dans les profondeurs du cœur, on ne s'interroge plus là-dessus. Il est dit dans le *Journal spirituel* de saint Ignace qu'il avait grande dévotion à faire oraison à la Trinité tout entière et qu'il y trouvait beaucoup de lumière pour la conduite de sa vie et aussi de goûts spirituels. De même, on ne s'inquiète plus du rôle du Saint-Esprit ou de se le représenter – quand on l'a vraiment et intensément appelé – puisque la mission de l'Esprit est de s'effacer pour nous unir à Jésus et nous conduire au Père.

4. « JAMAIS, VOTRE ÉPOUX NE VOUS QUITTE DES YEUX »

L'oraison peut donc viser aussi bien le visage du Père que celui du Christ. Parlant à sa nièce Teresita, la Madre d'Avila lui dit : « Tu ne sais pas l'honneur que tu as d'avoir un tel écuyer à tes côtés ! » Il s'agit, bien sûr, du Christ. Elle ajoute même : « peu importe qu'on le voit en dehors, à côté de soi ou en soi », bien qu'elle ait une préférence pour l'oraison d'union, le sens de la présence du Christ au plus intime du cœur. Ce qui compte, c'est de le trouver, de le percevoir et d'entrer avec lui « dans un commerce d'amitié ».

Il faut même aller plus loin, en disant qu'il ne s'agit pas tant de le voir que d'être vu par lui. Il n'y a pas longtemps, je regardais des panneaux sur Thérèse d'Avila dans la chapelle d'un carmel. Pour définir l'oraison thérésienne, on avait mis la très belle gravure du Christ à la colonne qui a provoqué la conversion de Thérèse et on avait mis comme légende cette phrase : « Ce que je vous demande, c'est de le regarder. » J'ai voulu en savoir plus et je suis allé consulter le livre fondamental de Thérèse sur l'oraison, le *Chemin de la perfection*. Elle dit exactement à ses filles qui débutent dans l'oraison : « Jamais, mes filles, votre Époux ne vous quitte des yeux » (*Chemin*, XXVI, p. 453). Au fond, elle invite ses filles à prendre conscience de ce que le Christ ne cesse pas de les regarder un seul instant. C'est son regard à lui qui est premier et qui provoque et suscite le nôtre. Nous ne pourrions pas le regarder si nous n'avions pas été vus par lui. Alors elle peut dire : « Je ne vous demande pas pour le moment de penser à lui, ni de beaucoup raisonner, ni d'appliquer votre raisonnement à de grandes et délicates considérations, je ne vous demande que de le regarder » (*Chemin*, XXVI, p. 452). Nous sommes vraiment là au cœur de l'oraison thérésienne et de l'oraison tout court. Et nous sommes par le fait même exactement au cœur de la Parole du Christ qui donne le ton à tout le *Pater* : *Notre Père qui es aux cieux*. Il faut être sous ce regard du Père qui est dans les cœurs.

Remarquons en passant qu'il y a une parenté entre l'oraison et le *Notre Père* puisqu'on définit la prière du Seigneur comme l'oraison dominicale. Il s'agit du même mouvement du Père venant à la rencontre de l'homme en prière et de la réponse de celui-ci à l'initiative de Dieu. Alors, nous pouvons tenter de donner une autre définition de l'oraison, différente de celle que nous avons esquissée au début du chapitre, en disant alors que faire oraison, c'est anticiper la vie du ciel, en vivant dès ici-bas la vie éternelle.

Disons maintenant que faire oraison, c'est faire un acte de foi, de confiance et d'abandon en ce regard du Père qui vient à notre rencontre. En parlant de confiance et d'abandon, je veux surtout parler d'un acte de non-peur et de non-fuite de Dieu car son approche provoque toujours la crainte chez l'homme qui perçoit cette proximité. En un certain sens, il a peur de se laisser brûler ou, pour le dire plus vulgairement, de « se laisser avoir ». Mais avant de faire un acte de foi dans ce regard, il faut le percevoir, soit au-dehors, soit au-dedans du cœur. Il faut qu'un « déclic » s'opère en nous, que le regard du Père s'illumine pour nous et devienne une réalité vivante. Dans un de ses contes, Benson raconte l'histoire de cet enfant qui venait chaque jour sur la route guetter le retour de sa mère, scrutant les yeux dans les yeux tous ceux qui pointaient à l'horizon ; il rentrait déçu, le soir, en disant : « Non, ce n'était pas ma mère ! »

Tant que le regard du Père ou du Christ ne s'est pas animé, le contact ne peut pas s'établir entre lui et nous, comme on dit parfois que le « courant est passé » entre deux êtres. C'est ce qui faisait dire à saint Ignace qu'il trouvait la dévotion dès qu'il se mettait en prière. C'est aussi ce qui faisait dire à Thérèse de Lisieux qu'elle aurait voulu être « magnétisée » par le Christ. Lorsque le regard de Dieu nous fascine ainsi, il n'est plus possible d'avoir des distractions et il n'est pas besoin de se concentrer, car la concentration ne vient pas de nous, mais de Dieu. Lorsque nous assistons à un spectacle passionnant, le jeu des acteurs nous mobilise et il n'est plus question d'être dispersé par les distractions. En ce sens, toutes les techniques qui aident un sujet à se concentrer en se centrant sur lui-même risquent de le fatiguer et de ne pas atteindre leur but, car la véritable concentration ne vient pas de nous : au contraire, elle nous arrache à nous-mêmes et nous transporte dans l'autre.

Il faudrait que le Saint Sacrement devienne notre théâtre, comme me le disait un jour une convertie qui était artiste. Il m'arrive parfois de comparer ce regard du Père ou du Christ au rayon laser qui subjugue le spectateur. Le jour où l'Eucharistie, l'Évangile et la prière exerceront sur nous cette fascination, il ne sera plus question de s'ennuyer à l'oraison. On se demande certains jours comment faire pour sortir de cet état d'absorption. Quelqu'un m'a confié un jour que, pour ne pas être trop absorbé par cette emprise de l'oraison, surtout le soir, il se mettait à lire un roman.

5. POURQUOI UNE TELLE FASCINATION DANS CE REGARD ?

Peut-être faut-il se demander : pourquoi ce regard a-t-il un tel pouvoir de fascination ? On voit déjà ce pouvoir à l'œuvre dans l'Évangile quand Jésus regarde Lévi au bureau de douane, ou quand il voit Zachée sous le sycomore, ou enfin, quand il fixe les yeux sur le bon larron au Calvaire. Ce pouvoir n'a rien perdu de son intensité depuis que le Christ est entré dans la gloire, tant s'en faut. Bien au contraire, il est aujourd'hui animé d'une puissance infinie : la *dynamis tou theou* dont parle saint Paul à propos de l'énergie de sa prédication et qui est la puissance de Dieu. C'est le même pouvoir qui est dans le regard du Père, puisque tout pouvoir a été donné au Christ d'en haut. Les saints eux-mêmes ont le pouvoir de prolonger ce regard dans le cœur des pécheurs qui expérimentent sa puissance de conversion.

6. Un regard lucide qui sonde le cœur profond

Nous avons déjà évoqué la première caractéristique de ce regard fascinant, à propos de Nathanaël que Jésus qualifie de véritable Israélite. Le regard du Christ, comme le regard du Père, possède la lucidité du Saint-Esprit, il est capable de nous transpercer à fond, de nous mettre à nu, en un mot, de faire la lumière et la vérité en nous. Il n'est pas impitoyable, mais il est vrai, il voit notre misère, notre faiblesse, nos blessures et nos véritables péchés, tandis que notre regard nous accuse et nous condamne souvent. En un mot, il nous voit tels que nous sommes : « Tu pénètres, Seigneur, le fond des cœurs, tu connais les désirs de chacun et rien ne te reste caché » (2ᵉ oraison de la messe votive du Saint-Esprit). C'est un regard vrai qui met le doigt sur notre vraie liberté et donc atteint notre liberté.

Un regard profondément bon

Mais il faut tout de suite ajouter que ce regard n'est pas seulement lucide, il est aussi profondément bon et miséricordieux. Il voit en nous la présence du Saint-Esprit et de la Sainte Trinité. C'est le regard de Jésus sur Marie-Madeleine, sur la femme adultère, sur Zachée, sur le bon larron et surtout sur saint Pierre après sa trahison. Il n'excuse pas le vrai péché mais il dégage notre perception du péché de toutes ses contrefaçons ; il le dénonce même et

16

arrache l'homme à sa sphère d'illusion : *Va et ne pèche plus* (Jn 8, 11), dit Jésus à la femme adultère. Mais ce regard sait de quoi nous sommes pétris, il se souvient que poussière nous sommes et il met loin de nous nos péchés car il est amour et tendresse (Ps 102, 11-16). Il y a une parole de Jérémie qui traduit bien la lucidité amoureuse et la compassion clairvoyante du Seigneur : *Le cœur de l'homme est compliqué et malade ! Qui peut le connaître ? Moi, le Seigneur, qui pénètre les cœurs et qui scrute les reins, afin de rendre à chacun selon ses actes, selon les fruits qu'il porte* (Jr 17, 9-10).

Nous sommes heureux d'être sous ce regard et nous désirons être vus de cette manière-là, car les deux caractéristiques du regard sont attirantes. Nous souhaitons que l'opération vérité se fasse dans notre cœur et que justice soit faite pour nous, car nous sommes des êtres libres qui ne peuvent être traités comme des irresponsables. C'est le sens du succès des psychologues et psychanalystes qui aident l'homme à faire la vérité en lui-même et à décaper son être en le dégageant de toutes les contrefaçons. Mais il y a quelque chose que les psychanalystes ne voient pas dans l'homme, c'est la présence du Saint-Esprit, tandis que le regard du Père est un regard profondément bon et miséricordieux, il nous aime jusque dans notre misère, avec toutes nos blessures, car il découvre en nous l'espérance de résurrection. En un mot, il nous voit tels que nous sommes et nous aime tels que nous sommes. Pour résister à un tel regard, il faut vraiment commettre le grand péché qu'évoque la Bible : s'endurcir et se blinder.

Les deux caractéristiques sont importantes et s'appellent l'une l'autre, car cela ne coûte pas beaucoup d'aimer sans être lucide. Si on se contente d'offrir l'amour, sans être vrai, on est tout simplement gentil, mais on n'aime pas en vérité car l'amour vrai exige la clarté. Il est tout aussi décourageant de lire dans les cœurs, de mettre à nu les blessures et même de les expliquer sans offrir l'amour et la miséricorde, car alors on est plus juste que bon, tandis que Dieu ne nous traite pas selon nos fautes et ne nous rend pas selon nos offenses : *Comme la tendresse du père pour ses fils, la tendresse du Seigneur pour qui le craint* (Ps 102, 10 et 13). Quand Dieu nous traite ainsi avec miséricorde, il ne fait pas abstraction de sa justice et nous voit bien pécheurs, tels que nous sommes, mais il voit surtout que nous nous tournons vers lui pour l'invoquer et l'appeler car nous le craignons. Parce que nous crions vers lui, au nom même de sa justice, il nous fait miséricorde : *Amour et vérité se rencontrent. Justice et Paix s'embrassent* (Ps 4, 11). Comme disent les Pères : « Le brasier de la colère de Dieu se transforme en buisson ardent de Miséricorde. »

Avant d'aborder la troisième caractéristique du regard du Père, regardons ce qu'opère en nous ce regard de vérité et d'amour. Si nous aimons ce regard, nous communions à lui et il nous donne quelques miettes de sa science véridique et amoureuse ; c'est ce qu'on appelle faire un pacte avec la vérité et avec l'amour. Mais un pacte suppose que nous nous engageons nous-mêmes et que nous demandons à Dieu de faire la vérité en nous. Dès qu'une telle prière a été faite, je vous assure que la réponse ne tarde pas à arriver, mais comme elle baigne dans l'onction de l'Esprit et donc de l'amour, elle n'est ni décourageante ni déprimante.

Sous le regard du Père, nous nous voyons tels que nous sommes, nous comprenons que nous ne sommes pas tou-

jours maîtres de nos profondeurs ; il y a ces « fautes de faiblesse » sur lesquelles nous n'avons pas de prise et « qui
ne font pas de peine au Bon Dieu », comme dit sainte
Thérèse de Lisieux. Ces fautes de faiblesse peuvent devenir plus dangereuses lorsqu'on commence à s'y attacher
par amour-propre. Et en même temps, nous découvrons
notre vrai péché, qui est presque toujours un refus de supplier et d'invoquer. Cette découverte s'achève dans le
même mouvement qui l'a vu naître : l'invocation. Dieu
voit, il sait et il nous aime, alors nous lui disons simplement : « Merci… prends pitié de nous. »

7. UN REGARD PORTEUR DE VIE ÉTERNELLE

Pour évoquer cette troisième caractéristique du regard
du Père, qui se prolonge dans le regard du Christ, nous
aurions pu utiliser le langage symbolique, comme l'Évangile utilise celui des paraboles pour parler de la vie éternelle. On aurait alors évoqué un regard qui brûle, rafraîchit, désaltère, ou un regard qui nourrit et comble. C'est
pourquoi le regard de Jésus est fascinant, comme celui du
Père, pour la raison bien simple que Jésus n'est pas seulement un homme extraordinaire – le plus grand homme de
l'histoire – mais qu'il est aussi le Fils du Père, celui qui est
venu pour que nous ayons la vie éternelle en abondance.
Jésus porte en lui la plénitude de la vie trinitaire, qui est
l'intensité infinie d'amour circulant entre lui et le Père.
Dans la lettre aux Colossiens, Paul dit à ce sujet : *En lui
habite corporellement toute la plénitude de la divinité et
en lui nous nous trouvons associés à sa plénitude* (Col 2,
9-10). Tout ce que l'homme désire, attend et qui le rend

fou quand il le demande à d'autres sources que Dieu, Jésus le possède en plénitude. C'est un infini de lumière, d'amour, d'intensité de vie comblant le cœur qui s'ouvre à lui : l'homme devient alors participant de la nature divine et de la vie trinitaire.

Pour faire pressentir cette vie, Jésus a employé des comparaisons et des paraboles. Tantôt il parle d'un feu qu'il est venu jeter sur la terre et dit sa hâte de le voir s'allumer : c'est, bien sûr, le feu de l'amour trinitaire ; tantôt il parle d'une eau vive qui coule de son sein et étanche la soif des hommes. Celui qui boit de cette eau n'aura jamais plus soif, tandis que l'eau de la terre nous laisse toujours insatisfaits, avec une soif jamais totalement apaisée. D'autres fois, il parle d'un pain qui donne la vie et rassasie car il est porteur de vie éternelle. Ce royaume présent en nous est aussi comparé à une semence ou à du levain qui grandit et envahit toute notre personne, image de la vie éternelle déposée dans notre corps comme une semence de gloire. Les lecteurs de Thérèse d'Avila, dans le *Livre des Demeures*, savent que pour parler des effets de l'oraison en nous, elle emploiera souvent la comparaison de l'eau et du feu qui, tout à la fois, désaltère le cœur et le brûle par une plénitude de vie, de joie et de bonheur. Elle utilise une expression pour montrer que les effets sont interchangeables, elle parle alors d'une « eau de goudron » qui brûle et dont le feu désaltère.

Le Christ porte en lui « quelque chose », un « je-ne-sais-quoi » dont parle saint Jean de la Croix, que l'on vient à trouver par hasard et qui est la perle précieuse de l'oraison. Quand un homme l'a trouvée, il est ravi de joie, hors de lui-même. Le feu des passions et des tentations n'a plus aucune force sur lui tellement le feu de l'amour trinitaire est puissant, c'est pourquoi il vend tout ce qu'il a pour acheter le champ où se trouve la perle précieuse. Labourer le champ, le creuser, c'est l'œuvre de l'invocation et de la prière ; trouver la perle précieuse, c'est le fruit de l'oraison.

Résumons-nous, au risque de nous répéter. Il y a dans le Christ « quelque chose » (faute de trouver mieux, il faut utiliser ce mot qui contient tous les autres) qui est la vie éternelle. Celle-ci ne peut être définie, ni circonscrite par aucun mot, aucune expression, aucune théologie, aucune liturgie, aucune spiritualité. Ce « quelque chose » de plus grand que tout, l'oraison même ne l'épuise pas, mais ne fait qu'en attiser le goût et le désir. Ce « quelque chose » rafraîchit, désaltère, nourrit et brûle le cœur de l'orant qui l'a expérimenté. On ne peut en dire plus, sinon il faudrait enfler la voix et les mots, exagérer les comparaisons et l'on serait alors indiscret et encore plus loin de la vérité, selon l'adage bien connu que : « Les propos excessifs sont insignifiants. »

8. UN SILENCE D'ATTENTE ET D'ADORATION

L'attitude qu'il convient d'adopter lorsque le regard du Père croise le nôtre parce que nous levons les yeux vers lui est le silence de l'adoration. Du reste, il est inexact de parler d'attitude à adopter, il faudrait plutôt dire que nous sommes mis hors d'état de faire autre chose. Lorsqu'on se voit et qu'on est sous le regard du Père et cependant aimé à ce point, il serait indécent de parler, on ne peut que se taire. Du reste, toute parole devient superflue lorsqu'on sait que le Père voit au fond des cœurs et connaît nos moindres désirs pour les combler.

Le seul risque que nous courons alors est de fuir ce regard, en n'acceptant pas de nous exposer à lui dans la vérité de notre être. On peut fuir ce regard, en commettant des péchés de superficialité, d'activisme ou de volontarisme qui nous mettent à l'abri de la tendresse purifiante du Père. L'attitude la plus vraie est de nous offrir tels que nous sommes à ce regard, en consentant librement à être vu et aimé par lui, en croyant aussi, comme dit le prophète Malachie, que *la guérison sort de ses rayons* (3, 20).

A la limite, on peut exprimer ce silence par une supplication muette qui est un élan de tout l'être vers le Père, dans un mouvement de sortie de soi…, ce qui nous ramène à notre point de départ : l'invocation du nom. Silence et prière s'appellent l'un l'autre et le silence s'enroule autour de la Parole. Il n'en demeure pas moins vrai que l'homme ne peut qu'attendre en silence que le regard du Père s'illumine pour lui : un silence qui est fait de désir, de consentement et d'abandon.

S'il fallait trouver une image qui approche le mieux ce mystère de l'oraison, je comparerais l'homme qui prie, en attendant que lui soit fait le don de l'oraison, au chien qui attend le retour de son maître. C'est la meilleure image de l'oraison car attendre est à peu près la seule chose valable que nous puissions faire en attendant le retour du Maître. Si nous voulons apprendre à prier, n'allons pas trop chercher du côté des gourous de l'Orient, regardons simplement notre chien qui attend le retour de son maître. Il est là, assis devant la porte, prêt à sauter au moindre bruit. Il ne fait rien d'autre que d'attendre et s'il pouvait parler, il nous dirait sûrement qu'il s'ennuie un peu ; mais il est animé d'un violent désir de retrouver son maître et c'est cela qui soutient son attente. Il s'ennuie parce qu'il n'a aucune carte de rechange. Il n'en va pas ainsi pour nous. Quand nous sommes à l'oraison, nous essayons de nous distraire du mieux que nous pouvons, en lisant un livre ou en faisant fonctionner notre imaginaire. Le pauvre chien n'a aucun de ces subterfuges et il s'ennuie ferme. Mais il est grandement récompensé quand son maître rentre à l'improviste, soit au milieu de la nuit, soit le matin : *Tenez-vous prêts, vous aussi, car c'est à l'heure que vous ne pensez pas que le Fils de l'homme viendra... Heureux ce serviteur que son maître, à son arrivée, trouvera occupé de la sorte* (Lc 12, 40 et 43). J'ai envie de dire comme Thérèse d'Avila, lorsqu'à la fin des *Quatrièmes Demeures*, elle parle du coup de sifflet du Bon Pasteur : « Je crois n'avoir jamais trouvé de meilleure comparaison pour faire comprendre ce que je veux dire ! »

2

UN CRI VERS LE PÈRE

Lorsque saint Ignace présente au retraitant les différentes manières de prier, il lui conseille de prendre la
première parole du *Notre Père*, de la prononcer lentement
et de la prier jusqu'au moment où il n'y trouve plus de
goût spirituel, et cela durant une heure (*Exercices*, n° 252).
Il lui conseille ensuite de passer à la parole suivante, jusqu'à la fin de la prière. Après avoir scruté la première
parole du *Notre Père*, nous invitons encore à demeurer sur
cette invocation : « "Notre Père qui es aux cieux", aussi
longtemps que vous trouverez des sens nouveaux, des
comparaisons, du goût et de la consolation dans la considération de tout ce qui est contenu dans ce mot »
(*Exercices*, n° 252).

Ce qui revient à dire qu'il nous faut prononcer l'expression et la « presser » dans notre cœur jusqu'au moment où le
regard du Père s'allumera pour nous et en nous, où le Saint-
Esprit visitera notre cœur par sa douleur et sa joie. Saint

Séraphim de Sarov dit qu'il faut prier jusqu'au moment où le Saint-Esprit nous visite, mais qu'il faut nous arrêter dès qu'il est là. Alors la prière fait place au silence : « Il ne faut prier que jusqu'au moment où le Saint-Esprit descend sur nous et nous accorde, dans une certaine mesure, connue de lui seul, sa grâce céleste. Visité par lui, il faut s'arrêter de prier. Alors la prière cède le pas au Saint-Esprit et au silence[1] ».

L'invocation prend le pas sur la réflexion

Quand on dit qu'il faut presser la parole dans notre cœur, il ne s'agit pas seulement de la comprendre, de réfléchir sur elle ou de la méditer, « car ce n'est pas l'abondance du savoir qui rassasie l'âme, mais de sentir et de goûter les choses intérieurement » (*Exercices*, n° 2). Dans cette manière de prier, il faut beaucoup plus supplier et invoquer en un long cri que réfléchir et méditer. Cette façon de prier n'est pas de tout repos, c'est même fatigant, comme dit le psaume 68 : *Je m'épuise à crier, ma gorge brûle. Mes yeux se sont usés d'attendre mon Dieu* (verset 4).

1. PENSER A DIEU OU L'APPELER ?

Nous sommes là, à la source d'une manière originale d'envisager l'oraison. La plupart du temps, nous n'y avons pas été formés de cette manière. Souvent, on nous a appris à nous mettre en présence de Dieu par un acte de l'intelligence, de l'imagination ou de la volonté. A force de penser à lui, ou de se le représenter, on en viendrait bien un jour à lui parler. Cette façon-là d'envisager l'oraison n'est pas

1. Séraphim de Sarov, éd. Bellefontaine, pp. 162-163.

forcément fausse, puisque saint Ignace la recommande dans la seconde manière de « contempler le sens de chacun des mots d'une prière » (*Exercices*, n° 249).

L'accent est mis ici sur la réflexion : « Il s'agit de prononcer le mot Père, et réfléchir sur ce mot, aussi longtemps qu'on trouvera des sens nouveaux, des comparaisons, du goût, etc. » (*Exercices*, n° 252). Apparemment, il s'agit de penser, de réfléchir, de comparer, de trouver des sens nouveaux, mais on n'en demeure jamais au seul plan intellectuel, on débouche assez vite sur le plan de l'affectivité spirituelle, puisqu'il s'agit de goûter, d'éprouver de la consolation et de la dévotion. La vraie question dans l'oraison est de se demander : comment ne pas laisser en friche l'affectivité, même si nous passons par l'intelligence et la mémoire, pour en arriver assez vite au niveau du cœur, sans musarder ou se perdre dans les considérations intellectuelles ou imaginaires.

Nous avons vu plus haut que saint Ignace avait davantage insisté sur le « sentir » que sur le « savoir » (*Exercices*, n° 2), et c'est pourquoi il préconise au début de l'oraison, non pas un acte de l'intelligence mais « une prière préparatoire qui consiste à demander à Dieu notre Seigneur que toutes nos intentions, actions et opérations soient purement ordonnées au service et louange de sa divine Majesté » (*Exercices*, n° 46). Très souvent, cette prière préparatoire se concrétise par la récitation du *Notre Père*. C'est l'invocation du Nom du Père avec la première parole : « Notre Père qui es aux cieux », au sens où nous en parlerons au chapitre 4, à propos de l'invocation du Nom.

Ainsi, le premier pas que nous faisons en entrant dans l'oraison s'apparente plus au cri du cœur, à la supplication qu'à la réflexion intellectuelle, puisqu'il s'agit « d'une demande de grâce » avec tout ce que ce mot évoque de sortie de soi pour demander à Dieu la grâce. Certains diront : « Mais le premier pas dans la prière, c'est l'amour, la louange, l'action de grâce et non pas la demande. » Au risque de nous répéter, puisque nous avons déjà abordé la question de la supplication, il faut oser dire qu'un amour qui ne demande pas et ne mendie pas n'est pas un véritable amour. Lorsqu'on aime quelqu'un, on est à genoux devant lui pour mendier son amour car sans lui, on n'est rien. Nous disons que nous aimons Dieu, que nous voulons l'adorer, le louer, le bénir, mais à quelle profondeur cet amour se situe-t-il ? Nous discutons et contestons si souvent ! Nous ne connaissons pas le fond de notre cœur car il est double et divisé. Affirmer que nous aimons Dieu, c'est souvent nous avancer sans être sûrs de nos arrières. Nous sommes tellement versatiles ! Tandis que lorsque nous demandons et supplions, nous disons à Dieu souhaiter et désirer que tout notre être soit engagé dans cet amour, jusqu'à ses profondeurs inconscientes.

Ainsi, en commençant notre oraison par un cri vers le Père du ciel, nous exhalons devant lui notre désir de voir tout, en nous, ordonné à sa gloire. Nous ne pouvons plus nous replier sur nos bons sentiments, nos résolutions généreuses, souvent imaginaires, mais nous sommes tout tendus vers le Père, arrachés à nous-mêmes par le cri de notre prière. Surtout, ne discutons pas au début de l'oraison, car discuter, c'est déjà contester, tandis qu'invoquer et supplier, c'est engager tout notre être devant Dieu. Le cri est la seule manière vitale d'entrer en oraison.

* * *

Dans les premiers pas que nous faisons dans l'oraison, il y a bien des méandres et des chemins sans issue. Le premier risque que nous courons, avons-nous dit, est de privilégier l'aspect réflexif sur l'aspect cordial et existentiel. Il ne s'agit pas de sous-estimer la part de l'intelligence dans la prière, mais de la remettre à sa vraie place, au service de l'amour. Dès que le cœur profond a été creusé par le cri et dévoilé par l'invocation, une source de prière se met à couler en nous et elle peut irriguer alors nos facultés d'intelligence et de volonté, enracinées dans le cœur. L'intelligence retrouve alors sa vraie place à l'oraison comme celle qui scrute la parole pour y découvrir le visage du Père.

2. LE SILENCE S'ENROULE AUTOUR DU CRI

Un deuxième risque est de mettre l'accent sur le besoin de silence et de recueillement au début de l'oraison. Il est évident que pour faire oraison et vivre en paix sous le regard du Père, il ne faut pas être troublé par les distractions et le tumulte extérieur ou intérieur. Mais il faut faire attention de ne pas rechercher le silence pour lui-même car une certaine recherche acharnée et inquiète du recueillement peut provoquer une tension de la volonté et faire tourner court l'aventure de l'oraison. La lutte contre les distractions devient tellement accaparante qu'on y passe tout le temps de l'oraison, sans parvenir à les vaincre, bien sûr. C'est le traquet du moulin qui tourne à vide et qui devient un vrai casse-tête pour l'oraison (sainte Thérèse d'Avila).

Tandis que, si nous commençons notre oraison par un cri, par exemple en prononçant le nom de Jésus, nous verrons qu'un peu à la fois le silence va s'enrouler autour de la parole et s'instaurer en nous, à notre insu. Peu importe la nature du cri, il peut être une confession du péché, un signal de détresse et même un cri de joie, du moment qu'il jaillit des profondeurs du cœur et exprime notre désir le plus profond. Il ne faut pas rechercher le silence pour lui-même, mais chercher d'abord le contact avec le Père et, dès qu'il sera établi, nous serons dans le vrai recueillement. Les distractions ne sont pas seulement chassées par un effort de la volonté, mais par la puissance qu'exercera sur nous le regard du Père. Plus la prière sera vivante et intense et plus nous serons recueillis et silencieux. L'oraison, c'est comme quand on assiste à un spectacle : ce qui nous maintient attentifs à ce qui se passe sur la scène n'est pas d'abord l'effort de notre volonté, mais le jeu de scène des artistes qui nous captive et, d'une certaine façon, nous fascine.

Le jour où le regard du Père nous empoignera jusqu'au plus profond de nous-mêmes, nous ne nous poserons plus de questions sur la manière de faire oraison ou sur les distractions, nous nous demanderons plutôt comment faire pour sortir de l'oraison, non pas pour échapper à l'emprise de ce regard, mais pour qu'il nous accompagne dans tout ce que nous faisons et disons.

Mais ajoutons tout de suite que nous n'obtiendrons pas le don de l'oraison par le seul effort de notre volonté. Et c'est là peut-être le troisième risque que nous courons : celui de croire qu'il suffit de mettre en œuvre la force de nos poignets pour obtenir le don de l'oraison. La volonté est requise pour se mettre dans la prière et surtout pour durer, mais l'oraison telle que nous l'entendons ici est vraiment un don puisque les cieux doivent se déchirer pour laisser entrevoir quelques reflets du visage du Père. La volonté est au service de ce que nous ne pouvons pas faire ni donner. C'est le cas de dire avec saint Paul, à propos de la grâce : *Il n'est donc pas question de l'homme qui veut ou qui court, mais de Dieu qui fait miséricorde* (Rm 9, 16). Nous devons faire tout ce que nous pouvons pour obtenir ce don de l'oraison – et d'abord le demander – mais il faut l'attendre gratuitement, comme si tout venait de Dieu.

Une fois que l'on a compris que l'oraison surgit des profondeurs du cœur comme un don de Dieu, un peu comme un bassin s'alimente de l'intérieur, on peut mettre en œuvre harmonieusement les différentes facultés. D'abord le cri et l'invocation qui viennent des profondeurs, jusqu'au moment où l'oraison surgit. Mais là, il faut se laisser guider par l'Esprit Saint, notre seul éducateur dans la prière. Peut-être qu'à certains moments, il nous invitera à une demande de pardon, à proférer une louange ou une action de grâce, ou à exprimer un besoin, un désir ; à d'autres moments, il nous poussera, comme dit saint Ignace, à réfléchir sur un mot pour en découvrir toutes les significations ou le comparer avec d'autres.

Par exemple, certains éprouveront beaucoup de goût spirituel à prononcer le mot « notre » en éprouvant leur solidarité avec tous les hommes. D'autres pourront rester de longs moments sur le mot « Père », en savourant la réalité de se recevoir de lui, ou de s'abandonner entre ses mains dans la confiance. D'autres enfin pourront avoir les yeux fixés au ciel ou sur le crucifix, comme il est dit de saint Dominique dans la « Prière des regards » (Les neuf manières de prier). Saint Ignace, de son côté, dit : « Agenouillé ou assis, selon que l'on s'y trouve plus incliné et selon qu'on y trouve plus de dévotion, tenant les yeux clos ou fixés sur un point, sans regarder çà et là, à prononcer le mot "Pater". » On voit bien ici que tous les moyens et les facultés sont au service de cette expérience de la dévotion, selon l'expression d'Ignace, qui est la découverte cordiale du nom du Père. L'intelligence, la volonté et la mémoire sont au service de cette expérience.

Ajoutons enfin qu'il y a un facteur « temps » pour parvenir à cette expérience de l'oraison savourée et goûtée. Avec l'invocation, c'est sûrement le facteur le plus important. Saint Jean Climaque le disait aux disciples qu'il voulait former à la prière intérieure : « Si tu veux prier : un texte (le *Notre Père*) et une limite de temps. » Sainte Thérèse d'Avila, à la suite de saint Ignace, préconise une heure d'oraison. Saint Ignace précise : « La première règle est que celui qui prie de cette façon demeurera une heure sur le *Pater noster* ; puis à la fin il récitera, vocalement et mentalement, à la manière ordinaire, un *Ave Maria*, *Credo*, *Anima Christi* et *Salve Regina* » (*Exercices*, n° 253).

Dans toute la tradition spirituelle, l'heure d'oraison semble une donnée communément admise par tous les maîtres, le « tarif normal ». Cela sans doute en référence au reproche à Gethsémani : *Vous n'avez pas su veiller une heure avec moi* (Mt 25, 40). Thérèse d'Avila demande deux heures d'oraison par jour aux carmélites et Ignace une heure quotidienne aux jésuites. Et au retraitant qui fait les grands Exercices, il dit : « Le directeur doit bien rappeler au retraitant qu'il doit rester une heure à chacun des cinq Exercices ou contemplations qui se feront chaque jour, et qu'il lui faut aussi tâcher toujours de garder le cœur satisfait à la pensée qu'il est resté une heure entière à l'exercice, et plutôt plus que moins. Car l'ennemi n'a guère l'habitude de rien négliger pour faire écourter l'heure de contemplation, de la méditation ou de l'oraison » (*Exercices*, annotation 12°).

L'expérience est là pour le prouver : ceux qui s'adonnent un peu à l'oraison et y consacrent d'abord un quart d'heure ou une demi-heure, en viennent assez vite à l'heure d'oraison, bien que cela soit plus ardu et que le temps dure et apporte l'ennui. En tout cas, il vaut mieux faire une heure d'affilée que deux fois une demi-heure car l'imprégnation par la prière s'opère mieux dans les profondeurs du cœur.

3. « NE PAS SE SOUCIER DE PASSER OUTRE »

Saint Ignace ajoute que si on trouve du goût et de la consolation en une ou deux paroles du *Notre Père*, il ne faut pas se soucier de passer outre, même si l'on passait toute l'heure sur ce mot (*Exercices*, n° 254). Le lendemain, on prendra le mot ou les deux mots qui suivent immédiatement. On sent ici le souci de ne pas pousser à la consommation en veillant à l'assimilation, « de crainte, comme il dira dans la contemplation des mystères de la vie d'enfance, que la considération d'un mystère ne trouble celle de l'autre » (*Exercices*, n° 127). Il ne faut pas craindre de rester des jours et des jours sur l'expression « Notre Père qui es aux cieux », jusqu'au moment où l'on obtient ce que l'on désire ou ce que l'on demande, à savoir ici la perception spirituelle du regard du Père.

« Ne pas se soucier de passer outre, dit saint Ignace, même si l'on passait toute l'heure sur ce mot » (*Exercices*, n° 254). Peu de priants comprennent qu'il faut durer longtemps sur une seule parole, ils ont la démangeaison de passer à la parole suivante car ils craignent de perdre un peu de la richesse de la totalité de la prière. Ils ne comprennent pas que dans ce domaine, il importe peu d'avoir de nouvelles idées sur Dieu, l'essentiel est d'être heureux avec lui : c'est cela, le goût spirituel. Une seule parole goûtée, savourée, ouvre la porte à toutes les autres, au moment venu et choisi par le Saint-Esprit.

Et nous touchons ici à une loi très fine et très subtile, non seulement de la prière, mais de toute vie spirituelle, à savoir le discernement spirituel, ou l'obéissance aux suggestions de l'Esprit. Celui-ci peut nous suggérer de rester une longue période de temps sur une parole. Il ne faut pas se soucier, ni s'inquiéter d'aller plus loin, même si certains jours le goût spirituel disparaît, du moment que l'on sent – et là, il y a vraiment une certitude et une assurance quasi absolues – qu'il ne faut pas sortir de cette parole. Percevoir ces fines motions de l'Esprit dans le déroulement de la prière est déjà une grande grâce, car c'est le début d'une initiation au discernement des esprits qui se vérifiera ensuite dans l'ensemble de notre vie spirituelle. Être fidèle à ses motions est une autre grâce que nous demandons lorsque nous comprenons que tout vient du Père des Lumières. Il faudrait que nous puissions dire comme saint Ignace : « Dieu me menait par la main, comme un maître d'école conduit un enfant. »

Pour que cette manière de prier porte ses fruits, il faut l'avoir pratiquée longtemps et donc avoir traversé un certain désert d'ennui, voire de dégoût et de rejet, en acceptant que rien ne se passe. Mais je suis persuadé et je le dis en tant que prêtre : une telle prière est toujours exaucée un jour ou l'autre et l'orant expérimente ce que nous avons essayé de dire très maladroitement. L'essentiel – mais nous y reviendrons – est de bien saisir ce moment où nous sommes visités par la grâce. Certains s'attendent à des choses mirobolantes, alors que de simples petites touches de joie et de paix trahissent que le Père nous a rejoints.

Ajoutée à la loi du temps, il y a aussi la loi de la répétition où une seule parole est murmurée lentement, parfois au rythme de la respiration – mais ce dernier aspect est secondaire. Cette parole est le soutien « juste » nécessaire pour garder notre attention fixée sur le regard du Père jusqu'au moment où il s'éclaire. Au moment où le déclic se fait, on se tait ; puis on la reprend pour maintenir ou confirmer cette prière du cœur. En ce domaine, il y a une loi qui veut que dans la prière, la quantité vienne de nous et la forme, de l'Esprit Saint. Nous apportons au Seigneur une certaine quantité de prière, comme l'apprenti d'un sculpteur lui apporte une masse informe de terre glaise. Mais l'apprenti ne s'occupe pas de la façonner, il laisse ce soin au sculpteur qui est Dieu et donne une forme parfaite à notre prière (comparaison souvent utilisée par le Père Dehau, *o.p.*).

Ce qui revient à dire que pour durer une heure, il faut répéter la parole de nombreuses fois. Ainsi le Métropolite Antoine de Souroge (Monseigneur Antoine Bloom) a-t-il pu dire : « Quand on ne peut pas faire de la prière une affaire de qualité, il faut en faire une affaire de quantité. » Ceci explique que la qualité de la prière, c'est-à-dire la prière pure ou le don de l'oraison, ne dépende pas de nous, mais de Dieu et qu'il nous les donne quand il veut et comme il veut. Tandis que la quantité dépend de nous, nous pouvons toujours donner à Dieu notre temps, nos lèvres, nos paroles et il en fait ce qu'il en veut. Il ne s'agit pas de multiplier les paroles mais de faire ce qui est en notre pouvoir pour nous disposer à recevoir le don de l'oraison.

4. « NE PAS SE CASSER LA TÊTE »

Après, le reste ne dépend plus de nous. Si Dieu nous fait ce don, nous ne pouvons que le remercier et lui rendre grâce. S'il nous le refuse apparemment, c'est parce qu'il veut nous voir durer dans l'invocation, mais, soyez-en sûrs, un jour, ce don nous sera fait. Pour le moment, nous avons la joie non sentie d'être avec le Père par le lien de la supplication. Saint Jean Climaque dit à peu près ceci : « Ne te plains pas de ne pas obtenir dans la prière ce que tu demandes, si tu y persévères, tu as obtenu un don plus grand, celui de la prière, qui est de vivre dans l'amitié et la compagnie de Dieu. »

Au fond, prier de cette manière n'est pas difficile. Je ne dis pas que c'est facile, car la vraie prière du cœur, le don de l'oraison, comme nous en parlons ici, n'est pas facile ou difficile, mais radicalement impossible, puisqu'il est un don de Dieu – mais invoquer et supplier est toujours en notre pouvoir. Il suffit de donner du temps et une certaine « quantité » de prière, jusqu'au moment où le Saint-Esprit nous visitera. Nous cherchons trop souvent comment faire pour trouver des méthodes, alors qu'il vaut mieux savoir comment ne jamais se lasser de supplier. Il ne faut pas se casser la tête. Au lieu de nous ennuyer superficiellement avec Dieu parce que la prière nous ennuie, il faudrait que nous nous ennuyions encore plus profondément, parce que nous avons faim et soif du contact avec Dieu et que personne ne peut nous désaltérer et nous guérir de cette mala-die, tant que l'Esprit Saint ne sera pas venu prier en nous avec des gémissements inénarrables.

On pourrait dire ces choses d'une autre manière. Comment faire pour accueillir quelqu'un qui désire « apprendre à prier » et l'aider efficacement ? Il faut d'abord s'assurer que ce désir est réel et qu'il vient bien des profondeurs du cœur, habité par le Saint-Esprit, car on ne peut rien faire sans ce désir intérieur. C'est lui le plus grand soutien dans les périodes de désert, d'épreuve et de découragement. C'est un peu le cheval de Troie à l'inté-rieur de la place forte.

C'est alors que le guide spirituel introduit son disciple dans le *Notre Père* en lui suggérant de prier avec la pre-mière parole – et uniquement avec elle –, car si l'on change toujours de parole, la prière ne pourra jamais s'en-raciner en nous, comme un arbre que l'on déplace toujours ne peut pas prendre racine. Dans cette éducation, il y a une pédagogie à mettre en œuvre pour préciser quel temps il faut consacrer à dire l'invocation et combien de fois. Tout cela peut paraître systématique et un peu scolaire et cepen-dant, il faut reconnaître que la prière s'apprend comme une autre discipline et qu'il faut se laisser initier par des lois très simples. On est frappé aujourd'hui de voir les Pères spirituels de l'Athos ou même ceux des déserts actuels d'Égypte (ainsi Matthieu le Pauvre à Wadi-el-Natroun) donner à leurs disciples un nombre précis d'in-vocations à dire ou de métanies à faire, durant un temps précis.

C'est là que la présence du père spirituel est nécessaire, pour ne pas dire indispensable, dans cette éducation à la prière. Son rôle n'est pas tellement d'apprendre à prier, car l'Esprit Saint est le seul Maître de la prière, mais de seconder, ou de favoriser son action. Ainsi il soutient la persévérance de son disciple et le réconforte, comme l'Esprit Saint a un rôle de Consolateur dans les épreuves qu'il rencontre sur le chemin de l'oraison. Il est surtout là pour guetter le moment où l'oraison va jaillir dans le cœur. S'il a lui-même fait cette expérience, il n'aura aucune peine à la reconnaître chez son disciple, même si elle est exprimée maladroitement. Mais sa présence est nécessaire pour permettre la reconnaissance de cet événement. Bien sûr, l'Esprit Saint peut toujours se passer des intermédiaires humains, mais il en résulte souvent des complications, des retards qui auraient pu être évités si le chemin de l'oraison avait été balisé par des repères.

5. Comment faire pour achever "mon Pater" ?

Comment définir cet instant ? Nous en avons déjà parlé précédemment, mais il faut y revenir à cause de son importance et surtout parce qu'étant donné son caractère indicible, plusieurs éclairages sont nécessaires pour essayer de l'approcher, aussi bien par le langage concret des exemples que par le truchement de la poésie ou de l'art. Nous avons déjà cité l'exemple de Thérèse de Lisieux qui était hors d'elle-même, simplement en prononçant le mot « Père ». Nous voudrions maintenant citer ce fait rapporté par Henri Bremond à propos de l'expérience de prière du *Pater*.

« La mère de Ponsonas, fondatrice des Bernardines réformées en Dauphiné, étant à Ponsonas pendant son enfance, il lui tomba entre les mains une pauvre vachère, laquelle d'abord lui parut si rustique qu'elle crut qu'elle n'avait aucune connaissance de Dieu. Elle la tira à l'écart où elle commença de tout son cœur à travailler à son instruction... Cette merveilleuse fille la pria avec abondance de larmes de lui apprendre ce qu'elle devait faire pour achever son *Pater* car, disait-elle en son langage des montagnes, je n'en saurais venir à bout. Depuis près de cinq ans, lorsque je prononce le mot « Pater » et que je considère que celui qui est là-haut, disait-elle en levant son doigt, que celui-là même est mon Père, je pleure et je demeure tout le jour en cet état en gardant mes vaches[2]. »

Ce qui est intéressant dans le cas cité par Bremond, c'est que ce témoignage est donné par quelqu'un qui l'exprime sans approche réflexive et théologique. Simplement, la petite vachère ne peut pas aller plus loin que le mot « Père », elle en est toute bouleversée et pleure, prenant conscience de ce que le Dieu Saint qui est là-haut (elle lève le doigt vers le ciel) est aussi son père, et le résultat, c'est qu'elle demeure en prière toute la journée en gardant ses vaches. Elle vérifie la parole de saint Ignace qui affirme qu'il ne faut pas passer outre quand on ressent de la joie et du goût spirituel sur une parole du *Pater*.

On pourrait appeler cette expérience « être visité par le ciel », au sens ou l'on expérimente déjà ce qu'est la joie du ciel. Et c'est pourquoi l'oraison est une anticipation de la vie éternelle, au sens où nous sommes appelés à voir et à

2. *La Vie de la Mère de Ponsonas* (1602-1657), institutrice de la congrégation des Bernardines réformées en Dauphiné, Lyon, 1675, pp. 26-27, cité par H. Bremond, dans *Histoire littéraire du sentiment religieux en France*, tome II. *L'invasion mystique 1590-1620*, p. 66).

goûter combien Dieu est bon, selon la parole du psaume 33, au verset 9. Cette expérience est impossible à décrire, car elle est faite de joie, de paix et de plénitude... La plupart du temps, on en fait l'expérience quand on la retrouve après l'avoir perdue.

6. QUAND DIEU SURGIT A L'IMPROVISTE !

Nous voudrions simplement emprunter un autre chemin pour en parler, celui de la terminologie employée par les auteurs spirituels pour signaler sa venue ou son départ. Voici quelques expressions pour approcher cette expérience : « L'éblouissement du cœur par la Parole de Dieu », « surprendre son cœur en flagrant délit de prière » (Dom André Louf). Le Père Gouvernaire utilise une parole très suggestive pour évoquer la consolation sans cause dans le premier cas d'élection : « Quand Dieu surgit à l'improviste. » « Trouver la dévotion », dirait saint Ignace. « Être visité par la grâce ou par la prière », diront les spirituels russes. Les Pères grecs parlent de « plérophorie ». Julien Green évoque à son sujet l'instant où l'on tombe dans le sommeil, on peut guetter, mais que l'on ne peut pas saisir, un peu ce que dit saint Bernard sur les « visites du Verbe ». Autant d'expressions qui indiquent l'approche de la venue et de la présence de l'Esprit.

On trouve Dieu avec facilité, diront certains. Une très belle anecdote de la vie de saint Louis nous fait pressentir cela. On raconte qu'un miracle se passait à la cour et le sire de Joinville s'empressait d'aller le dire à saint Louis : « Venez vite, Monseigneur, un grand miracle se passe sous nos yeux ! » Et le roi de lui répondre : « Laisse-moi tranquille, je trouve Dieu beaucoup plus dans la prière que dans les miracles. »

Chacun a sa manière de faire une telle expérience car chacun a sa forme de prière. On a franchi un grand pas dans la vie spirituelle quand on a découvert sa forme de prière personnelle, qui correspond toujours au nom propre que nous avons pour Dieu. Chacun doit découvrir ce lieu où s'opèrent les mystérieux échanges avec chacune des personnes de la Sainte Trinité. Certains ne se reconnaîtront pas du tout dans notre approche, mais l'essentiel est qu'ils aient le cœur heureux et satisfait au sortir de l'oraison.

Chez beaucoup, l'expérience de l'oraison a la forme d'un dialogue ou d'une conversation avec le Christ ou avec le Père. Parfois, c'est avec la Vierge que s'amorce le contact. On a l'impression de reprendre une conversation jamais ininterrompue, mais qui se renoue à propos de ce temps fort d'oraison. L'image du chapelet où l'on enfile les grains de tous les événements de la vie, les joies, les soucis, les tentations rend bien compte de ce que peut être cette forme d'oraison qui s'achève souvent dans la supplication. Cette prière prend alors la forme de l'invocation du nom du Père, suivie d'un temps où nous présentons au Seigneur tout ce qui constitue la trame de notre vie et nous sentons bien alors que nous ne parlons pas dans le vide, que notre prière n'est pas un monologue, mais que le Père répond à sa manière par la joie et la paix qu'il répand en nous. C'est lui qui mène le dialogue et notre prière n'est qu'une réponse à son initiative. Saint Ignace définit ainsi cette forme de prière lorsqu'il évoque le colloque : « Le colloque se fait proprement en parlant comme un ami parle avec son ami, ou un serviteur avec son Seigneur : tantôt sollicitant quelque faveur, tantôt s'accusant d'une faute commise, tantôt lui confiant ses affaires et lui demandant conseil à ce propos » (*Exercices*, n° 54).

Sœur Tranchemer s'étant plainte un jour à sainte Catherine Labouré de ne point savoir faire oraison, dit en avoir reçu cette réponse : « Oh ! Mais c'est bien facile. Je vais à la chapelle et je parle à Dieu. Il me répond. Il sait que je suis là… J'attends ce qu'il me faut, ce qu'il veut me donner. J'en suis toujours contente. Écouter Dieu, lui parler, se résoudre. Tout est là. Voilà l'oraison ! Allez, faites de même et vous verrez[3]. » Il y a une autre traduction beaucoup plus simple de la définition de l'oraison de Catherine, qui appartient sûrement à la tradition orale et que l'on trouve sur les images de la rue du Bac. Nous la donnons car elle rend bien compte d'une oraison de simplicité, qui peut même devenir une oraison d'union, avec cependant un « discours » très simple. Le texte est intitulé : *L'Oraison de Catherine Labouré* :

« Lorsque je vais à la chapelle, je me mets là devant le Bon Dieu, et je lui dis : "Seigneur, me voici, donnez-moi ce que vous voulez". S'il me donne quelque chose, je suis bien contente et je le remercie. S'il ne me donne rien, je le remercie encore, parce que je n'en mérite pas davantage. Et puis je lui dis alors tout ce qui me vient dans l'esprit : je lui raconte mes peines et mes joies, et j'écoute. Si vous l'écoutez, il vous parlera aussi, car avec le Bon Dieu, il faut dire et écouter. Il parle toujours quand on y va bonnement et simplement. »

---

3. N° 819, *CLM* 2, p. 141-142, cité par R. Laurentin. *Vie authentique de Catherine Labouré*, Récit DDB, 1980, p. 370.

7. Avec le Notre Père, tu as tout

Quelle que soit la forme que prend l'oraison et l'expérience qu'elle suscite au cœur du priant, il y a une autre raison qui doit nous inciter à faire du *Notre Père* le centre de notre prière ; c'est la seule raison qui soit valable, car elle ne vient pas d'un critère subjectif mais de la parole même du Seigneur, extérieure à nous.

Lorsqu'on fait une expérience spirituelle dans la prière, bien qu'elle soit « réelle » pour l'orant, on peut toujours se demander si on n'a pas été le jouet d'une illusion. Il y a tellement de facteurs psychologiques qui jouent dans une conscience qu'il est très difficile de démêler le vrai du faux et le réel de l'illusoire. Et cependant, on ne peut pas rayer d'un coup de plume ces expériences qui surviennent, mais il faut les prendre telles qu'elles sont, mêlées et imparfaites, sans s'y reposer en croyant qu'elles constituent le dernier mot de la prière. Ce qui revient à dire que ces expériences doivent toujours être authentifiées par la Parole de Dieu, c'est-à-dire par des critères objectifs, extérieurs à soi et à Dieu lui-même.

En un sens, quand l'expérience de l'Esprit nous met en mouvement, c'est-à-dire quand elle n'est pas purement passive, mais qu'elle engage notre liberté et notre volonté dans un mouvement de supplication, on peut croire qu'elle s'oriente dans le sens du réel. Ce qui revient à dire que le croyant écoute la parole du Christ qui l'engage à prier, à demander, à frapper et à chercher. La supplication est vraiment à la source et au terme de la prière chrétienne : c'en est le sommet, dit le Père Molinié.

C'est là que nous rejoignons le critère objectif de la prière. Si le Christ n'avait pas dit : *Quand vous priez, dites : Père* (Lc 11, 2) ou en Matthieu 6, 9 : *Vous donc, priez ainsi : Notre Père qui es dans les cieux*, nous pourrions toujours nous demander si notre prière est vraie, réelle et si elle répond au désir du Christ. Cette constatation est d'autant plus fondée que nous expérimentons ce que dit saint Paul très justement : *Nous ne savons pas prier comme il faut* (Rm 8, 26). Cette impuissance à prier, sur laquelle nous reviendrons longuement à propos de la prière de l'Esprit, est peut-être la croix la plus douloureuse que doive porter celui qui est appelé à consacrer sa vie à la prière.

Il comprend clairement que le Seigneur l'appelle à la prière incessante et, en même temps, il expérimente son incapacité radicale à prier. Cette conjonction du désir et de l'impuissance montre que nous avons besoin d'être sauvés jusque dans notre aspiration à la prière et que nous devons demander cette grâce, comme les apôtres demandaient au Christ de leur apprendre à prier. Autrement, nous serons guettés par le découragement et donc par la tentation d'abandonner la prière. Et nous voici encore ramenés à la demande, puisque « tout est grâce » dans notre vie.

Mais quand nous avons fait table rase de toutes nos prétentions à prier par nous-mêmes et que nous prenons pour prier les paroles mêmes du Christ : *Notre Père qui es aux cieux*, nous sommes en terrain sûr, puisque « ses paroles ne passent pas » et que le Père exauce toujours la prière de son Fils, avec qui il ne fait qu'un.

En priant le *Pater*, nous ne courons pas le risque de nous tromper ou de dévier, puisque nous prions avec les paroles mêmes de Jésus, comme le dit si bien l'introduction liturgique au *Pater* : « Comme nous l'avons appris du

Sauveur, nous osons dire avec confiance : *Notre Père qui es aux cieux.* »

Pour ceux et celles qui veulent apprendre à prier ou qui doivent consacrer leur vie à la prière, j'ai envie de dire : « Heureusement qu'il y a le Notre Père : ils sont assurés de ne pas errer dans les méandres de l'imaginaire ou de la subjectivité, mais de prier comme le Christ ou avec lui, car si Jésus nous a livré cette prière, c'est parce qu'elle était sienne et qu'il la disait souvent. »

On comprend alors pourquoi tous les saints qui ont été ravis jusqu'au troisième ciel et qui ont *entendu des paroles ineffables qu'il n'est pas permis à l'homme de redire* (2 Co 12, 2-4) en reviennent toujours comme Paul à conseiller de prier avec le nom du Père : *Vous avez reçu un esprit de fils adoptifs qui vous fait crier : Abba ! Père* (Rm 8, 15, Ga 4, 6). Thérèse d'Avila n'agira pas d'une autre manière quand elle voudra enseigner à ses filles – vouées à la prière continuelle – l'oraison. Elle écrira le *Chemin de la perfection* qui est un commentaire du *Pater* et elle dira souvent dans cet écrit qu'elle connaît une servante de Dieu (on se demande si ce n'est pas elle) qui est parvenue à une haute contemplation rien qu'en priant vocalement le *Pater*. Que dire après cela, avons-nous envie de dire avec saint Paul ?

Il est merveilleux de constater que la première prière balbutiée dans l'enfance est aussi celle qui convient le mieux au soir d'une vie de prière. On dirait qu'après avoir cheminé à la découverte de la prière et surtout après avoir fait des expériences variées et riches, on en revient toujours à la prière du Seigneur, comme celle qui exprime le mieux le fond du cœur.

Nous ne savons pas prier comme il faut, c'est une donnée courante de notre expérience ! Alors nous empruntons les paroles mêmes de Jésus pour prier ou, plus simplement, nous lui demandons de prier pour nous et en nous, lui, qui sans cesse intercède devant le Père. C'est le sens même de l'adoration de l'Eucharistie : proclamation de notre impuissance à adorer et à supplier et en même temps confession de foi dans la puissance de la prière de Jésus. Il ne faut jamais essayer de prier par soi-même – c'est le plus sûr moyen de ne pas y réussir – mais il faut faire confiance au Christ et entrer dans sa prière. Alors peu importe que nous ayons des distractions ou non, que nous sachions prier ou pas ou que nous nous ennuyions à l'oraison, l'essentiel est de se dire : « Ce n'est plus moi qui prie, c'est le Christ qui prie en moi » (comme en Galates 2, 20).

3

QUE TON NOM SOIT SANCTIFIÉ

En terre chrétienne, il faut le dire et le redire, il n'y a qu'une prière : celle du Christ au Père pour les hommes. Sans cesse, Jésus suppliait le Père afin que ses frères partagent le même secret et entrent en communion avec le Père et entre eux. C'est l'objet même de la grande prière de Jésus que l'on a appelée la prière sacerdotale. Il serait intéressant de la comparer au *Notre Père* pour se rendre compte que les demandes se recoupent et se rejoignent dans la même intention. C'est dire que la prière des disciples du Christ trouve là sa forme, sa source et même son aboutissement. Nous ne dépasserons jamais la prière du Christ et nous aurons toujours à nous tourner vers elle quand nous nous mettons à prier. Ce qui revient à dire qu'il ne faut pas « se casser la tête » pour prier, mais entrer simplement dans la prière de Jésus.

Sans préambule, abordons la première demande du *Pater* : *Que ton Nom soit sanctifié*, et fixons les yeux sur

SPIRIMEDIA INC.

6550 RTE 125
CHERTSEY, QC , J0K 3K0
TEL : 1-(800)-465-1070

98/10/07 12:06   FACTURE   00035935
R104964937   VENDEUR   MAGASIN
TVP # 1000988991

CLIENT # MAGASIN
COMPTOIR

NOTRE PERE-LE DON DE L'ORAI   27,95 F

    SOUS-TOTAL   27,95
    T.P.S.   1,96
TOTAL   29,91
    COMPTANT   40,00
    RETOUR   10,09

VOUS SERVIR, C'EST SERVIR LE SEIGNEUR.
MERCI DE NOUS FAIRE CONFIANCE. L'EQUIPE.

Jésus en lui demandant de nous enseigner sa manière de prier lorsqu'il nous révélait le nom du Père. C'est la prière de Jésus aux jours de sa chair, comme dit la lettre aux Hébreux, qui modèle et façonne la nôtre. Nous ne pouvons que mendier sa prière, comme nous mendions notre pain de chaque jour… la prière nous étant aussi nécessaire que le pain.

En un second temps, qui sera une suite à cette première demande, nous contemplerons Jésus dans la gloire, là où les cieux doivent se déchirer, comme ce fut le cas pour Étienne, afin que le Père nous montre la prière de son Fils aujourd'hui. L'auteur de l'épître aux Hébreux dit que ce Fils ne cesse d'intercéder pour nous (7, 25), quand nous nous approchons du Père en passant par lui. Le jour où nous aurons été arrachés à nous-mêmes et mis en présence du Christ en prière, nous n'aurons plus besoin d'apprendre à prier car nous verrons le Christ prier en notre nom et pour nous. Aujourd'hui, dans la gloire, il ne fait plus que cela. Voir Jésus en prière et recevoir une communication de cette prière est peut-être une des plus grandes grâces qu'un homme puisse recevoir sur terre.

1. Voir Jésus, c'est avoir sa prière

Qui d'entre nous, en se mettant à prier, n'a pas eu le désir de voir le Christ, de l'entendre, de le toucher et même de le contempler, comme le dit saint Jean au début de son épître ? Ou alors, de refaire l'expérience de Saul sur le chemin de Damas, au moment où le Christ se montra à lui dans une lumière éclatante et le convertit en l'aveuglant. On sent bien que la prière ne sera plus la même et qu'au lieu d'être un monologue, elle deviendra une écoute adorante et aimante. En d'autres termes, nous percevons que la rencontre du Christ ressuscité est une exigence vitale pour notre foi et notre prière.

Si vous persévérez dans ce désir, un jour le Christ ou l'Esprit Saint, peu importe, vous fera comprendre que cette rencontre-là – celle de voir son visage – n'est pas la plus profonde, qu'il y en a une autre qui est la plus importante, nécessaire à tous, non seulement à ceux qui ont vu Jésus au cours de sa vie terrestre et ont cru en lui, mais même à ceux qui l'ont vu ressuscité et se sont attachés à lui. C'est celle de tous les chrétiens qui prient vraiment, qui désirent prier et donnent du temps à la prière, car tous ceux qui ont vu Jésus, au cours de sa vie terrestre ou dans sa gloire, n'ont pas été dispensés de croire en lui, quand l'apparition s'est achevée. Ils ont même été contraints de prier s'ils voulaient retrouver cette prière fascinante. Cette rencontre dans la prière est la seule manière pour nous de voir le Christ, de le toucher avec, bien sûr, la rencontre dans les frères qui lui est liée.

C'est un peu comme si Jésus nous disait : « Tu désires me voir et j'exauce vraiment ton désir, mais je vais te donner quelque chose de meilleur encore, ce qui faisait ma raison de vivre : ma prière. Tu vas partager mon dialogue avec le Père à propos des hommes. » Le jour où nous comprenons cela, nous ne demandons plus autre chose que la prière de Jésus et, quand celle-ci nous est donnée, nous comprenons que nous avons tout, car voir Jésus ou avoir sa prière, c'est le fond de la foi et de l'oraison. Quand tu verras un homme consacrer du temps à la prière gratuitement et même dans la sécheresse et que sa supplication s'étend au monde entier, tu peux dire qu'il est devenu l'Ami de l'Époux. En un certain sens, il a vu le Christ, car il a vécu son chemin de Damas ou sa Pentecôte. Ce qui est important dans ces événements, ce n'est pas tant l'apparition du Christ, car on peut toujours se demander si l'on n'a pas été l'objet d'une illusion, de même dans l'événement de la Pentecôte, ce n'est pas le spectaculaire qui compte. C'est quelque chose de plus secret, d'invisible et de silencieux, c'est la Pentecôte sans les langues de feu ni le vent violent : c'est tout simplement l'Esprit qui prend feu et rend le Christ présent dans notre cœur.

Chaque fois qu'un homme se met à prier, il rend présent dans son cœur le Saint-Esprit et donc le Christ ressuscité ou plutôt, c'est l'Esprit qui suscite sa prière et fait sentir sa présence. Le pape Jean-Paul II le dit clairement dans son encyclique *Dominum et vivificantem* : « Il est beau et salutaire de penser que, partout où l'on prie dans le monde, l'Esprit Saint, souffle vital de la prière, est présent » (n° 65. Éd. Médiaspaul, 1986, p. 129). C'est lui qui inspire la prière au cœur de l'homme et de l'univers, dans toutes les situations variées. Nous approcherons ce mystère de la prière de l'Esprit Saint en nos cœurs lorsque nous en viendrons à la deuxième demande du *Notre Père* : *Que ton Règne vienne*, car elle vise la descente du Saint-Esprit dans la venue du Royaume.

Ainsi, il y a comme une équivalence entre voir Jésus ressuscité, recevoir l'Esprit Saint et se consacrer à la prière. Et les apôtres qui ont vécu avec Jésus pendant trois ans, qui ont été témoins de sa Résurrection, n'ont pas été dispensés de le chercher ensuite dans la foi et la prière, puisque saint Pierre dira, dans les Actes, que les apôtres doivent *se consacrer à la prière et au service de la Parole* (Ac 6, 4). Mais il faut encore aller plus loin dans cette équivalence entre « voir Jésus » et « recevoir sa prière » et ce pas marque toute la différence entre le savoir et l'expérimenter. Il y a un abîme entre celui qui connaît cette réalité et celui qui la vit expérimentalement. Ce qui revient à dire que, d'une certaine façon, nous devons pressentir que nous ne faisons plus qu'un avec le Christ et que c'est lui qui prie en nous le Père.

2. « TOUT CE QUI EST A MOI EST A TOI »

Les saints ont reçu cette communication de la prière de Jésus dans leur cœur et ils avaient conscience de ce que, tout en étant pleinement eux-mêmes en disant le *Pater*, un Autre plus grand qu'eux le disait en eux. C'est l'expérience de la prière du Christ dans notre cœur. Les saints l'ont exprimée chacun à leur manière, mais la plupart l'ont expérimentée, soit qu'ils ne faisaient qu'un avec le Christ pour prier, soit qu'ils étaient transportés hors d'eux-mêmes dans la prière de Jésus. Je pense ici à une parole de Robert de Langeac, un grand mystique, qui disait : « On ne prie bien que dans l'extase. » Ce qui revient à dire qu'on est arraché à soi-même et propulsé dans l'orbite trinitaire de la prière de Jésus.

Que se passe-t-il quand la prière du Christ prend le relais de notre propre prière ? Rien de bien extraordinaire, puisque tout se passe à l'intérieur du cœur, sans vision ni révélation, et qu'on ne veut plus autre chose que cette prière de Jésus. Il y a d'abord une certaine aisance à trouver le Père, dès qu'on se met à prier mais, d'une manière plus large, on découvre que ce que l'on a demandé avec tant d'insistance, c'est-à-dire la prière continuelle, a surgi dans notre cœur « sans crier gare ». On se dit un jour avec stupéfaction : « Je la demande, cette prière, depuis si longtemps et je l'ai enfin. » Mais attention de ne pas essayer de la retenir en s'en faisant propriétaire. On ne sait pas quand cette prière a été donnée et on est ébahi qu'elle soit toujours là. Le moindre mouvement d'orgueil ou de complaisance en soi est le pire ennemi de cette prière car elle n'est jamais installée définitivement. On peut la perdre ou la laisser s'échapper en partie si on n'est pas vigilant et persévérant à la demander ou si l'on croit que l'on y est arrivé.

Du dedans, l'Esprit Saint nous enseigne ce que doit être la prière du Christ, car nous nous sentons en connaturalité avec lui : il y a comme un échange entre le Christ et nous, une communion au-delà des mots. La phrase qui rendrait le mieux compte de cette interpénétration est celle de Jésus à son Père : *Tout ce qui est à moi est à toi, comme tout ce qui est à toi est à moi* (Jn 17, 10). Pour Jésus, la prière était une sorte de fond permanent qui irriguait toutes ses paroles et tous ses actes, en un mot, toute sa vie publique, un courant de vie dans lequel tout le reste baignait. Pour nous, c'est une Vie à l'intérieur de notre propre vie, tout en saisissant que cette prière est bien la nôtre, mais qu'elle prend sa source au-delà de notre cœur, dans les profondeurs du Cœur du Christ.

On pourrait dire à propos de la prière de Jésus ce que dit Péguy sur la nuit qui est comme la source cachée alimentant la vie quotidienne. En passant, il est intéressant de noter, dans la vie de Jésus, que la nuit est toujours associée à la prière, comme il sera dit de saint Dominique : « Il prêchait le jour et il priait la nuit. » Ainsi, tout homme qui reçoit la prière de Jésus découvre et comprend la prière de nuit. Il n'a pas à se réveiller pour prier, c'est la prière qui le réveille quand il doit se lever ou le maintient éveillé dans la nuit. Nous ne sommes plus ici dans la zone de l'effort ou de la volonté, mais dans le gratuit et le donné. Écoutons ce que dit Péguy de la nuit et appliquons-le à la prière de Jésus :

« La nuit est l'endroit, la nuit est l'être où il se baigne, où il se nourrit, où il se crée, où il se fait. Où il fait son être. Où il se refait. La nuit est l'endroit, la nuit est l'être où il se repose, où il se retire, où il se recueille. Où il entre (il faut "entrer" dans la nuit comme on entre dans une cathédrale et ne pas se laisser prendre par elle). C'est la nuit qui est continue (…) Et ce sont les jours qui sont discontinus. Ce sont les jours qui percent, qui rompent la nuit. Et nullement les nuits qui rompent le jour (…) Et la solitude et le silence de la nuit sont si beaux et si grands (…) qu'il fait une bordure auguste aux agitations des jours. C'est la nuit qui est continue, où se retrempe l'être, c'est la nuit qui fait un long tissu continu » (*Le Porche du mystère de la deuxième vertu*).

3. « J'AI MANIFESTÉ TON NOM AUX HOMMES » (JN 17, 6)

En écrivant ces pages, j'ai beaucoup hésité à entrer plus profondément dans le mystère de la prière de Jésus pour en découvrir le contenu : que disait Jésus durant ses longues nuits passées à prier ? C'est comme si l'on était coupable d'indiscrétion et que l'on entrait par effraction dans un dialogue d'intimité et d'amour. Et puis, si la prière de Jésus est une vie avec le Père, nous nous sentons tellement démunis pour cerner une vie qui nous déborde de toutes parts, à cause de son courant. Nous préférerions nous taire ou alors reprendre ce que la lettre aux Hébreux (5, 7) dit de la prière du Christ : *Il présentait sa supplication au Père, avec de grands cris et des larmes.* Nous y reviendrons en terminant ce chapitre parce que nous croyons que la prière de Jésus commençait par un cri, expirant dans le silence. Pour parler de la prière de Jésus, je préfère de beaucoup évoquer le cri plutôt que des paroles exprimant des demandes. En ce domaine, nous ne pouvons que faire appel à notre propre expérience et plus nous avançons dans la prière, plus nous découvrons et mieux nous acceptons que notre prière soit un long cri lancé vers le Père. Ce qui me pousse aussi à dire cela, c'est le cri que Jésus a poussé sur la croix et qui fut sa dernière prière, la plus achevée et la plus parfaite.

Mais il faut bien essayer de dire quelque chose sur la prière de Jésus et on ne peut pas toujours rester dans l'indicible. Je pense ici aux premiers frères de saint François, qui se cachaient dans les buissons de l'Alverne pour surprendre quelques bribes de la prière de leur père. Ils étaient très déçus quand ils devaient raconter aux autres ce qu'ils avaient entendu et ils auraient été heureux d'avoir des magnétophones pour enregistrer les « Oh ! » et les « Ah ! » de saint François qui priait avec des cris. On devine que la prière du Christ devait être de ce genre.

Cependant, heureusement que les Évangélistes ont pris soin de nous rapporter quelques bribes « sténographiques » de la prière de Jésus qui nous disent l'essentiel de sa relation avec le Père. Mais il faut ajouter aussitôt que le meilleur de sa prière est ce qu'ils ne disent pas et qui appartient à cette zone de silence et d'adoration à laquelle doit nous mener toute parole. C'est comme s'ils disaient : « Ne faites pas trop attention à ce que nous disons, mais orientez votre regard vers ce que nous ne disons pas et qui est objet de silence et de contemplation. » Le jour où l'on a compris cela, on demande à l'Esprit Saint de faire passer le courant à travers les mots de l'Évangile pour qu'ils deviennent paroles de Jésus et nous enseignent sa prière.

Les prières de Jésus rapportées par les quatre évangiles ont toutes en commun une particularité : elles invoquent le nom du Père. Chaque fois que le Christ prie, il invoque le Père. Il y a une exception dans le cri poussé sur la croix, cri qui est une citation du psaume 22 : *Mon Dieu, mon Dieu, pourquoi m'as-tu abandonné ?* Il semblerait ici que le Christ n'invoque pas le Père, mais le Seigneur, comme le psalmiste. En fait, il faut aller plus loin et regarder la fin de la prière. A ce sujet, le Père Guillet fait remarquer qu'en saint Luc, cette prière du Christ en croix, un peu abrupte, s'achève dans une parole d'abandon, de confiance et de remise au Père : *Père, entre tes mains, je remets mon Esprit* (Lc 23, 46). Redisons-le pour mémoire, puisque nous en avons déjà parlé, l'appellation « Abba ! Père ! », sous sa forme araméenne, était empruntée au langage quotidien, et surtout employée par les enfants. On ne la rencontre jamais dans les prières juives (J. Jérémias, *Théologie du Nouveau Testament*). Au risque de paraître puéril, nous pourrions traduire le mot « Abba ! » par l'expression « papa chéri ». C'est l'impressionnante nouveauté de la prière du Christ, qui provient du fait inouï que c'est le Fils même de Dieu qui prie.

Il faut aller jusqu'au bout de cette « nouveauté inouïe » en affirmant que l'homme, devenu fils adoptif de Dieu, peut dire cette prière avec la même conscience filiale que Jésus avait aux jours de sa vie terrestre. De même que l'Esprit Saint suscitait dans le cœur du Christ le cri de « Père », ainsi il fait jaillir dans le cœur de l'homme le même cri : *Vous n'avez pas reçu un esprit qui vous rend esclaves et vous ramène à la peur, mais un esprit qui fait de nous des fils adoptifs et par lequel nous crions : Abba ! Père !* (Rm 8, 15). Le verset suivant est encore plus intéressant car il nous fait entrer dans la réalité même de l'oraison, telle que nous en avons parlé. Le priant fait l'expérience obscure, mais réelle et indubitable, au plus profond de lui-même, de ce qu'il est vraiment Fils de Dieu : *Cet Esprit lui-même, atteste à notre esprit que nous sommes enfants de Dieu* (Rm 8, 16). Il atteste et nous convainc, au sens où un défenseur donne des preuves tangibles, qui touchent notre cœur, et il nous fait expérimenter notre être de fils de Dieu. Ainsi Jésus ne nous transmet pas seulement « un vocable nouveau, mais il fait percevoir la réalité du Père, à travers ce qu'il dit, ce qu'il fait et ce qu'il est » (TOB, Nouveau Testament, p. 342, note f). Au sein de sa conscience, le priant reçoit l'expérience même de Jésus qui lui manifeste et lui donne le nom du Père.

Cela va beaucoup plus loin que de savoir abstraitement qu'il est enfant de Dieu, un peu comme s'il l'apprenait par procuration. Il y a une conscience filiale qui le relie au Père et, en même temps, une prise de conscience de ce que le Père le voit et l'aime tendrement comme son enfant. Il sait que « le Père sait » ce dont il a besoin. Il veille sur chaque instant de sa vie et compte chacun de ses cheveux. Cette prise de conscience du regard du Père engendre en lui l'attitude d'Abraham quand son fils lui demande où est la victime pour le sacrifice et Abraham lui répond : *Dieu y pourvoira, mon Fils* (Gn 22, 8). Dieu pourvoit à tout et chasse ainsi toute inquiétude.

Quand Dieu fait à l'homme la grâce d'entrer dans cette oraison de quiétude ou de simple regard qui deviendra un jour une oraison d'union, il peut dire en toute rigueur de termes : *Je te bénis, Père (Abba), Seigneur du ciel et de la terre, d'avoir caché cela aux sages et aux intelligents et de l'avoir révélé aux tout-petits* (Lc 10, 21). C'est l'Esprit qui prononce réellement en nous, comme en Jésus : « Abba ! », prolongeant ainsi dans notre cœur la prière de Jésus. Quand l'Esprit prononce « Père » en nous, ce n'est pas lui qui est Fils du Père, mais c'est lui qui est devenu, grâce à l'Incarnation, l'Esprit de Jésus, le Fils unique. Chaque fois que l'Esprit Saint pousse ce cri filial dans notre cœur, c'est Jésus qui le dit en nous et c'est pourquoi nous sommes sûrs d'être exaucés.

4. UNE SUPPLICATION FAITE DE CRIS ET DE LARMES

Ainsi Jésus priait et tressaillait de joie, sous l'action de l'Esprit Saint, en invoquant et en bénissant le nom du Père. Et c'est peut-être la joie de l'Esprit qui est le premier signe perçu dans le cœur du croyant lorsqu'il se découvre, en Jésus, fils du Père. De telle sorte que l'heure d'oraison se passe simplement à dire le nom du Père, dans une joie paisible. Mais il n'en était pas toujours ainsi dans la prière du Christ, qui se prolonge aujourd'hui dans la prière du chrétien. Lorsque Paul évoque la prière de l'Esprit en nous, juste après avoir affirmé qu'il murmure en nos cœurs le nom du Père, il ajoute qu'il intercède pour les chrétiens *par des gémissements ineffables* (Rm 8, 26). Nous en parlerons plus longuement à propos de la prière de l'Esprit en nous et dans l'Église.

En voyant ce qui se passe dans le chrétien et dans l'Église quand l'Esprit gémit en eux avec des « cris inexprimables », nous pouvons pressentir ce qui s'est passé d'abord dans le cœur du Christ quand il priait. Nous en avons déjà parlé dans ce chapitre en évoquant le texte des Hébreux, mais il faut y revenir, car nous touchons là à la fine pointe de la prière du Christ, au-delà des mots. Ce fut dans le Saint-Esprit que Jésus *au cours de sa vie terrestre, offrit prières et supplications, avec grand cri et larmes à celui qui pouvait le sauver de la mort et fut exaucé en raison de sa soumission* (He 5, 7). Ce texte fait bien sûr allusion à la grande prière de Jésus à Gethsémani. Il faut revenir au récit de Marc qui semble le plus ancien et nous rapporte les paroles de la prière de Jésus où le Père est explicitement nommé sous la forme d'*Abba*, pour relier ensuite cette prière à la phrase des Hébreux. Cela nous laisse entendre qu'en Jésus, la prière au Père dans l'invocation du nom s'identifiait à un long cri.

Écoutons le texte de Marc qui commence par une formule en style indirect : *Allant un peu plus loin, il tombait à terre et priait pour que, si possible, cette heure passât loin de lui* (Mc 14, 35). Luc précisera : *Fléchissant les genoux, il priait* (Lc 22, 41). L'attitude corporelle d'être à genoux ou prosterné nous laisse entendre l'intensité de sa prière – le paroxysme de sa prière. C'est la prière d'un homme qui est à bout et n'en peut plus, d'une certaine manière. C'est trop lourd à porter et il n'en peut plus. A ce moment-là, c'est le cri qui spécifie la prière, mais Marc précise le contenu de cette prière et emploie justement la parole : *Abba ! Père, à toi tout est possible, écarte de moi cette coupe. Pourtant, non pas ce que je veux, mais ce que tu veux* (Mc 14, 36).

L'Esprit Saint anime la prière du Christ à Gethsémani pour la soutenir dans l'offrande suprême de sa vie. C'est alors un long cri qu'il lance vers le Père, où il exprime toute sa détresse, mais aussi sa confiance en lui et l'assurance qu'il a d'être toujours exaucé : *A Toi, tout est possible*. C'est vraiment de la supplication pure. En même temps, c'est une prière d'abandon, d'adoration et de remise entre les mains du Père : *Pourtant, non pas ce que je veux, mais ce que tu veux*. Sa prière affirme l'accord des deux volontés dans un même amour. Toute prière chrétienne sera en même temps une supplication pour que le Père nous délivre des angoisses de la mort et une confession de notre foi en sa bienveillance et son bon plaisir : elle exprime donc notre consentement.

5. « LE CHRIST, PAR UN ESPRIT ÉTERNEL ! »

La lettre aux Hébreux nous révèle ce mystère si intime et si profond de la prière de Jésus : *Le Christ, par un esprit éternel* (c'est-à-dire par l'Esprit Saint), *s'est offert lui-même comme une victime sans tache à Dieu, pour purifier notre conscience des œuvres mortes* (He 9, 14). Quand Jésus se livre au Père, il actualise l'onction sacerdotale qui lui a été conférée par l'Esprit Saint. C'est elle qui le pousse à prier et à s'offrir au Père dans le sacrifice de la croix. Il est devenu grand prêtre par l'onction de l'Esprit Saint conférée par le Père qui lui dit : *Tu es mon Fils* (He 5, 5). Et là, nous touchons à un autre aspect de la prière du Christ, celui de sa prière totale. C'est en tant que grand prêtre qu'il intercède auprès du Père et obtient le salut des hommes. En tant que chrétiens, nous avons reçu participation à cette grâce sacerdotale – c'est la grâce du sacerdoce des baptisés – qui nous habilite à entrer dans la prière du Christ pour le salut du monde et aussi à offrir notre vie dans l'Eucharistie. Un chrétien n'est pas seulement un « sauvé », il est aussi devenu un « sauveur » en tant qu'il participe à la prière sacerdotale du Christ, car il prolonge aujourd'hui l'intercession de Jésus dans la gloire.

Mais, avant d'en arriver là, regardons l'ultime prière de Jésus sur la croix, qui s'exprime dans un grand cri et s'achève dans un acte d'abandon entre les mains du Père. Nous touchons ici du doigt, dans la prière de Jésus, l'identification entre l'invocation du nom du Père et le cri. En entrant dans l'histoire de l'humanité, Jésus prend sur lui les cris et les pleurs de tous les hommes. Il est le nouveau Moïse et le nouveau Job, il appartient à la grande lignée des suppliants (Ps 98, 6). Il porte devant son Père le cri jailli de la détresse des hommes, car il a chargé sur ses épaules le poids de notre souffrance et du péché. Il a même partagé un instant notre doute et nos ténèbres. A Gethsémani et sur la croix, il les a hurlés à la face de son Père : *Vers la neuvième heure, Jésus clama en un grand cri : Mon Dieu, mon Dieu, pourquoi m'as-tu abandonné ?* (Mt 27, 46).

Jésus en est alors au point culminant, au point abyssal, au plus profond de cette détresse. A son tour, Jésus crie : *Des profondeurs* (Ps 129), comme tant de psalmistes ont crié avant lui. Bien plus encore, il meurt dans un cri épouvantable : *Jésus, poussant de nouveau un grand cri, rendit l'esprit* (Mt 27, 50). Certains qui l'assistaient lui prêtent un sens : *Père, je remets mon esprit entre tes mains* (Lc 25, 46). C'est un cri de supplication et d'invocation au Père dans la détresse. C'est aussi un cri d'abandon, de fidélité et d'obéissance, jusque dans la mort. Jusqu'au bout, la prière du Christ sera une supplication et une obéissance.

Ce cri de Jésus sur la croix résume et exprime toute sa prière de jour et de nuit. C'est sa vraie prière, c'est là qu'il peut vraiment dire : *Père*, en exhalant son dernier souffle et en se livrant à son Amour. A propos de ce cri, Dom André Louf dit : « Maintenant seulement Jésus peut vraiment prier. » Dans la mort seulement, il pourra prononcer le « oui » longuement mûri de son propre Amour pour le Père. Il le dit dans sa plénitude, en paix, au-delà du désespoir et du doute. Sa prière est un baiser d'amour dans lequel il exhale son dernier souffle : *Père, entre tes mains, je remets mon esprit* ».

Il faudrait que le cri de Jésus sur la croix ne cesse de retentir dans le cœur de tous ceux qui veulent prier, comme me disait un jour une vieille femme, achevant sa vie dans une maison de personnes âgées. Pour elle, sa prière consistait à laisser vibrer et retentir ce cri dans son cœur. C'est le sommet de la prière du Christ, et notre prière ne peut que se modeler sur la sienne. C'est dans ce cri qu'elle trouve sa source et son achèvement. Le jour où le cri de Jésus au Calvaire, un certain Vendredi saint, aura transpercé et bouleversé notre cœur, en nous gardant sous le regard du Père, nous saurons vraiment prier. Pour Jésus, c'est le cri de la fin, mais c'est aussi le cri des origines, le cri à la fois de la mort et celui d'une nouvelle naissance. L'évangéliste saint Jean dira qu'en mourant, Jésus livra l'Esprit : dans le cri de sa mort, Jésus libéra le souffle de Dieu et transmit l'Esprit à l'humanité tout entière. Sa mort qui fut une prière fut aussi une Pentecôte. Quand nous regarderons la prière de l'Esprit dans notre cœur, nous verrons qu'elle est surtout un cri et que, à l'image de la prière de Jésus, c'est à la fois une mort et une naissance.

6. « PÈRE, GLORIFIE TON NOM » (JN 12, 28)

Il est temps maintenant de revenir à la première demande du *Notre Père*, mais ce long détour était indispensable pour approcher un peu le mystère de la prière de Jésus toute centrée sur le nom du Père et focalisée dans un cri. La nouveauté du message de Jésus et sa mission ont été de nous « donner » ce nom (Jn 17, 5), un peu comme on livre un secret, non pas à la manière d'un nom nouveau, mais comme la réalité du Père à expérimenter tous les jours. Quand Jésus invite ses disciples à dire *Que ton Nom soit sanctifié*, c'est exactement comme s'il disait : *Père, glorifie ton nom* (Jn 12, 28). Jésus demande que le nom du Père soit glorifié et que Dieu soit manifesté comme Père, « en parachevant son œuvre d'amour pour les hommes à travers la mort et la Résurrection de son Fils » (TOB, note « x », p. 327-328).

La tradition matthéenne et lucanienne du *Notre Père* traduit ainsi cette première demande : « Fais-toi reconnaître comme Dieu. » On trouve une formule semblable dans le livre d'Esther : *Fais-toi connaître, au moment de notre détresse* » (4, 17r). Disons tout de suite qu'il s'agit bien d'une demande, d'une prière et d'une supplication, il ne s'agit pas d'une œuvre qui dépend de l'homme. Seul Dieu peut sanctifier son grand nom, comme il est seul à pouvoir faire advenir son Règne. C'est pourquoi les deux demandes sont mises l'une à côté de l'autre sous forme de prière. Cette sanctification du nom et cette venue du Règne ne peuvent être assurées que par Dieu seul et c'est pourquoi il s'agit d'une intervention salutaire. Comme dit encore la TOB (note « x », p. 58) : « La tournure au passif "soit sanctifié" est couramment utilisée dans la littérature juive pour indiquer discrètement l'action de Dieu sans le nommer. Seul Dieu peut se manifester tel qu'il est dans sa puissance et sa gloire, sa justice et sa grâce... Et cette manifestation s'adresse à tous les hommes. »

Affirmer que Dieu seul peut sanctifier son nom implique qu'au moment où nous disons le *Notre Père*, nous soyons « à genoux » dans l'attitude du pauvre qui attend tout du *Père des lumières de qui vient tout don parfait* (Jc 1, 17). On dit parfois que les trois premières demandes sont des prières de louange, mais il faudrait plutôt ajouter qu'elles deviennent louange et action de grâce, dans la mesure où elles sont passées par le creuset de la demande et de la supplication qui les convertit en bénédiction. Il en va de la louange comme de la joie : nous crions de joie comme nous crions de douleur. Encore faut-il que la douleur soit convertie en joie et elle ne le peut pas tant que nous-mêmes nous ne passons à travers Dieu et son Fils Jésus Christ avec tout le poids de notre souffrance et de notre supplication.

En dernier lieu, nous sommes toujours ramenés à la demande. Nous avons franchi un grand pas dans la prière quand nous avons compris que la totalité du *Notre Père* est comme un javelot qui a pour but de traverser les cieux et de toucher le cœur du Père. J'ai envie de dire que plus cette prière jaillit des profondeurs de notre misère, plus elle a de force et de dynamisme pour déchirer les cieux, un peu comme un ressort qui rejaillit avec puissance dans la mesure où il a été comprimé. Cela justifie la parole de saint Jean de la Croix ; Thérèse de Lisieux l'aimait tant qu'elle la rapporte dans sa lettre à sœur Marie du Sacré-Cœur (manuscrit B) à propos de sa vocation à l'amour : « Je descendis si bas, si bas que je pus enfin remonter si haut, si haut que j'atteignis enfin ce que je cherchais. » Au fond, le *Notre Père* rejoint l'attente la plus secrète de notre cœur.

Ainsi, lorsqu'on dit *Que ton nom soit sanctifié*, on exprime d'abord et respectueusement une demande pour que Dieu manifeste la sainteté de son nom, qu'il nous dévoile son être, puisqu'au sens biblique traditionnel, le nom désigne la personne. Sanctifier le nom de Dieu ne signifie pas qu'on ajoute quelque chose à la sainteté de Dieu, mais cela indique qu'on reconnaît et manifeste ce qu'il est, en lui rendant gloire. C'est pourquoi la parole de Jésus au chapitre 12 de saint Jean est l'équivalent de la première demande du *Pater* : *Père, glorifie ton Nom* (Jn 12, 28). C'est une confession de la sainteté du nom de Dieu, en même temps qu'une demande pour qu'il se révèle à nous. En un certain sens, dire au Père *Que Ton Nom soit sanctifié*, c'est reprendre, avec toute la révélation apportée par le Christ, la demande de Moïse : *Fais-moi de grâce voir ta gloire* (Ex 33, 18).

A ce point exact il faut introduire une brève méditation sur la sainteté du Père révélé par le Christ. Nous ne saurions rien sur Dieu, son être de Père et son Amour miséricordieux, en un mot sur son secret, si le Christ n'était pas venu soulever un coin du voile qui le cachait à nos yeux. Ce mystère est caché aux sages et aux intelligents, dit Jésus, et il est révélé aux tout-petits. C'est face à ce mystère que Jésus tressaille de joie sous l'action de l'Esprit Saint. Ce mystère va très loin puisqu'il est caché depuis l'origine du monde et embrasse tous les temps, tous les lieux et tous les hommes, jusqu'à la consommation des siècles. C'est le mystère même de notre entrée dans la famille trinitaire. Quand nous disons : « Que ton Nom soit sanctifié », nous confessons notre foi en cette communion des Trois et en même temps notre désir d'y être introduit par grâce, au moyen de la foi.

7. « NUL NE CONNAÎT LE PÈRE… » (LC 10, 23)

Pour bien prier le *Notre Père*, il faut donc méditer sur le mystère de la sainteté du nom ou de l'être même de Dieu. Quand nous parlons de méditer, il ne s'agit pas d'une cogitation intellectuelle, mais d'une prière au sens où les psaumes disent : « la bouche du juste médite la Parole de Dieu jour et nuit ». C'est en ce sens que la méditation nous ouvre à l'oraison et que l'intelligence est au service du cœur. Il s'agit d'une répétition à voix basse, à la manière de la prière de Jésus, jusqu'au moment où tout l'être s'ouvre à l'intelligence du Père et où il exulte sous l'action de l'Esprit Saint : ce qui est la définition même de l'oraison. Dans cette contemplation, c'est l'Esprit Saint qui est comme le fer de lance pour nous introduire dans ce mystère, à la manière dont un spéléologue creuse la roche avec son piolet. Paul nous dit que c'est à nous que Dieu a révélé ce mystère par l'Esprit Saint. Car l'Esprit sonde tout, même les profondeurs de Dieu… Quant à nous, nous avons reçu l'Esprit de Dieu pour connaître les dons que Dieu nous a faits (1 Co 2, 10-12).

C'est l'Esprit qui nous fait scruter le secret de Dieu. Cette notion de secret de Dieu est la première notion à dégager pour comprendre le don qui nous est fait de la vie trinitaire, don qui est participation à la nature même de Dieu, comme dit l'Apôtre Pierre, et donc à la nature de l'oraison qui est communion au dialogue trinitaire. Ainsi nous devons scruter les profondeurs du secret ou du mystère de Dieu, ce qui revient au même. Trop souvent, nous entrons dans ce mystère comme en terrain conquis et nous croyons que nous avons le dernier mot sur Dieu. La parole de Jésus dans l'Évangile devrait rabattre un peu nos prétentions à tout savoir de Dieu et nous ramener dans les chemins de l'humilité. Même si nous savons intellectuellement que Dieu est Père, nous aurons toujours à le découvrir et à scruter son nom, pour la bonne raison que nul n'a jamais vu Dieu. Cela est dit plusieurs fois dans l'Évangile à propos de Dieu : *Personne n'a jamais vu Dieu* (Jn 1, 18) et à propos du Père : *Nul n'a jamais vu le Père* (Jn 6, 46). Les évangiles synoptiques diront pratiquement la même chose : *Nul ne connaît le Père* (Lc 10, 23). N'allons pas plus loin pour le moment et restons un peu sur cette incompréhensibilité de Dieu, l'inconnaissance de Dieu, comme dira le cardinal Journet, après les Pères grecs (*Ô Toi l'au-delà de tout*. Saint Grégoire de Nazianze).

Pour approcher cette incompréhensibilité de Dieu, il faut faire intervenir la notion de secret et voir ce qu'elle signifie sur le plan des comparaisons humaines. Chacun de nous a une vie intérieure, une vie intime, qu'on peut qualifier de secrète. « Mon cœur a son secret. Mon âme a son mystère », dit le poète Lamartine. Ce qui caractérise le secret, c'est que nul ne peut y pénétrer si nous ne le voulons pas. On peut nous forcer à dire des choses matérielles sur nous-mêmes, mais personne ne peut nous obliger à communiquer le fond de notre cœur ou à livrer notre secret, si nous ne le voulons pas parce que notre liberté le refuse. C'est le drame des goulags et des régimes totalitaires où l'on torture les gens pour extorquer leur secret. Vous pouvez étudier un homme d'aussi près que possible, s'il ne veut pas dire ce qu'il a dans le cœur, vous ne le saurez jamais. Cela ne dépend pas de notre insuffisance intellectuelle ou d'un défaut de compréhension, mais d'une limite de notre intelligence qui est à la source même du drame de l'incommunicabilité des consciences.

Une telle remarque est très importante pour comprendre la Révélation, car c'est la même chose pour Dieu. Quelle que soit votre pénétration pour méditer le mystère de Dieu, vous n'y entrerez pas si Dieu ne vous ouvre pas la porte[1]. Même à force d'ascèse et de contemplation naturelle, on n'arrive jamais à pénétrer en Dieu. Si Dieu est vraiment personnel, quels que soient les efforts de contemplation que nous puissions faire, Dieu reste libre de nous admettre ou non dans son secret. C'est toute la différence qu'il y a entre la contemplation naturelle et la contemplation surnaturelle de Dieu. Dans la première, on s'élève par des moyens créés, jusqu'à Dieu ; la seconde est un don et une initiative de Dieu qui nous ouvre son secret. C'est la révélation où Dieu lève le voile. En termes théologiques, c'est la connaissance que Dieu a de lui-même et de son secret.

Précisons notre pensée. Il y a la connaissance qu'une créature peut avoir de Dieu, à partir de la contemplation des choses créées, selon la parole de Paul : *Les perfections invisibles de Dieu nous sont révélées au-dehors par ses perfections visibles* (Rm 1, 20). Ces paroles font écho au livre de la Sagesse (13, 1-9). Nous connaissons l'existence de Dieu à partir de l'existence des choses créées. C'est une pédagogie qui part d'un magnifique coucher de soleil sur la mer pour amener des jeunes à la prière du soir. Plus l'homme contemplerait la beauté, la bonté et la justice des

1. *A qui frappe, on ouvrira* (Mt 7,8).

créatures et plus il découvrirait le génie invisible qui a créé tout cela. Lorenz disait : « Plus je scrute l'atome et plus je repense la pensée de Dieu. » Mais cette connaissance n'est pas la plus profonde, c'est celle que j'ai déjà appelée la connaissance du visage de Dieu qui ressemble à quelque chose. C'est le côté par où Dieu s'apparente aux êtres et leur ressemble. Mais il y a un côté où le visage de Dieu ne ressemble à rien. C'est la face cachée de Dieu (comme il y a une face cachée de la lune qui n'est visible qu'aux astronautes). En parlant de cette théologie apophatique, Olivier Clément dit : « En disant Dieu, ou Créateur, ou Sauveur, ce n'est jamais Dieu en lui-même que nous désignons, mais sa face tournée vers le monde, ce qui est autour de Dieu. »

Il nous faut nous attarder autour de ce visage de Dieu qui ne ressemble à rien, car il fascine depuis le premier Adam, attiré par le fruit de l'arbre de vie, jusqu'au dernier moine hindou séduit par la quête de l'Un. C'est ce « visage » qui, d'une certaine façon, attire aujourd'hui les jeunes vers la drogue, les sectes et tous les marchands d'illusions, car ils espèrent « faire le voyage », comme disent certains. Et si nous scrutons bien notre cœur, nous découvrons le secret désir de connaître cet être invisible et de prendre la Cène avec lui (Ap 3, 20).

L'intuition religieuse des Juifs a eu très vite le sens de cette face inconnue et invisible de Dieu, beaucoup plus que de la face visible. Et elle a donné un nom à ce visage mystérieux : c'est sa sainteté. Isaïe la proclame dans sa vision du Temple : *Saint, saint, saint est Yahvé Sabaoth, sa gloire emplit toute la terre* (Is 6, 3). Et dans chacune de nos Eucharisties, nous proclamons la sainteté de Dieu : « Tu es vraiment saint, Dieu de l'univers. »

Dire que Dieu est saint, c'est confesser qu'il est séparé du monde, en un mot qu'il est le Tout-Autre, le Transcendant et que, pour le connaître, il doit ouvrir lui-même la porte de son mystère. Devant lui, nous sommes poussière et cendre. Quand nous découvrons ce visage, nous sommes plongés dans l'adoration. Cette notion de sainteté est à la racine de tout l'ordre surnaturel, c'est-à-dire de notre participation à la vie trinitaire : c'est ce que nous avons appelé le « secret de Dieu ». Dans l'oraison, l'Esprit Saint nous fait scruter ce secret en nous introduisant dans les profondeurs du dialogue trinitaire.

Et nous retombons à pic sur la demande de Jésus : *Que Ton nom soit sanctifié.* Si Jésus ne nous avait pas révélé cette face cachée de Dieu, qui est justement son mystère de sainteté et notre participation à la vie des Trois, nous serions des orphelins et nous ne pourrions pas dire le *Notre Père.* Nous entrons par grâce dans ce mystère à cause de la prière du Christ et de son sacrifice sur la croix. Mais, pour que nous puissions y entrer, nous devons aussi nous mettre « à genoux ». C'est ce que nous allons voir maintenant, en poursuivant notre méditation sur la sanctification du nom.

4

TEL DU NECTAR

Quoi que l'homme fasse, le mystère de Dieu lui reste définitivement fermé si quelqu'un, venant de là-haut, ne vient lui ouvrir la porte pour l'introduire au ciel. Ce que peut faire l'homme s'apparente beaucoup à la prière des Juifs fervents au pied du Mur des Lamentations à Jérusalem : désirer, supplier et pleurer pour que le mur qui nous sépare de Dieu s'écroule sous la pression de ce poids de prières. *Dieu, personne ne l'a jamais vu*, nous dit saint Jean. Un jour, cependant, quelqu'un est venu et a affirmé simplement qu'il était tourné vers le Père, le connaissait bien et pouvait nous le dévoiler : *Le Fils unique qui est dans le sein du Père*, poursuit saint Jean, *nous l'a dévoilé* (Jn 1, 18). Quatre cent cinquante ans avant la venue de Jésus, Platon avait déjà pressenti cela dans le mythe de la caverne. Il raconte que des hommes plongés dans l'obscurité de leur caverne, et s'accommodant bien de cette situation inconfortable, voient un jour arriver quelqu'un qui leur affirme avoir vu le soleil et leur propose de les ouvrir à cette lumière. Habités par la force de l'habitude, les hommes de la caverne refusent cette proposition, le chassent et veulent le mettre à mort. Vous avez tout de suite fait le rapprochement avec la parole de saint Jean : *Il est venu chez les siens et les siens ne l'ont pas accueilli* (Jn 1, 11).

1. Veux-tu ?

Tous n'ont pas agi de cette manière et certains ont trouvé désirable de voir Dieu et d'entrer en communication avec lui. Ce désir de Dieu est le cœur le plus profond qu'un homme puisse porter en lui, pâle reflet de l'amour infini que Dieu porte à l'homme. Nous ne chercherions pas le visage de Dieu si lui, le premier, ne nous avait pas cherchés d'abord. Pour nous transmettre cette invitation du Père, Jésus est venu sur terre. Il veut nous inviter à connaître le Père et surtout à entrer en communion avec lui par notre participation au banquet de la Trinité.

C'est une invitation à dîner face à face avec le Créateur et, merveilleuse proposition, le Père et lui ont un désir infiniment plus grand que le nôtre d'entrer en communion avec nous. A sa manière, saint Jean traduit bien ce désir : *Voici ce qu'est l'amour : ce n'est pas nous qui avons aimé Dieu le premier, c'est lui qui nous a aimés et qui a envoyé son Fils en victime d'expiation pour nos péchés* (Jn 4, 10). Il suffit de penser au désir de Thérèse d'Avila de voir Dieu pour comprendre un peu cela : « Mon Dieu, enfin, nous allons nous voir ! » *Si quelqu'un entend ma voix et ouvre la porte, j'entrerai chez lui et je prendrai la Cène avec lui et lui avec moi* (Ap 3, 20). Cette invitation se traduit par un mot : « Veux-tu ? » Quand Jésus passait des nuits pour que le nom du Père soit sanctifié, c'était cela qu'il demandait au Père : que tous les hommes découvrent ce nom et ce visage du Père et perçoivent cette invitation à entrer dans le banquet trinitaire.

Allons encore plus loin. Cette première demande du *Pater* résume toute la révélation de la Bible puisque celle-ci apparaît comme une invitation de Dieu à entrer en communion avec lui : « Veux-tu ? » La première parole que Dieu adresse à Adam est comme un cri d'inquiétude : *Adam, où es-tu ?* (Gn 3, 9). Et la dernière parole de la Bible n'est pas moins significative puisque c'est encore un appel à aller vers le Père : *L'Esprit et l'Épouse disent : Viens* (Ap 22, 17). D'un bout à l'autre de la Bible, Dieu dit sur tous les tons son désir d'entrer en communion avec l'homme et mendie son acquiescement d'amour car nous demeurons libres de consentir ou non à cette proposition. Mais cela n'empêche pas la véhémence du désir du Père et la colère qu'il éprouve quand l'homme s'endurcit face à cet amour.

Si on lit la Bible en profondeur, on comprend que c'est une grande histoire d'amour entre quelqu'un qui aime à l'infini et un autre qui a peu d'amour dans le cœur. On comprend que la rencontre de ces deux êtres provoque des chocs. Dieu ne parle que pour inviter l'homme à entrer dans l'amour trinitaire. En d'autres termes, le but ultime de la Parole de Dieu vise toujours le mystère de la Trinité, même si l'homme ne comprend que partiellement et graduellement l'intention de Dieu. Il faut avoir perçu ce point focal qui éclaire l'ensemble de l'Écriture pour ne pas se perdre dans le maquis des textes. Lorsqu'on traverse en train une forêt de pins, il y a un point et un seul où l'on voit l'ensemble des arbres alignés, en dehors de ce point, c'est un enchevêtrement inextricable. C'est ce que nous avons appelé le mystère ou le secret de Dieu qui donne un sens à tout le reste de l'Écriture et qui se résume en un mot : Veux-tu ?

C'est de cette manière aussi qu'il faut lire l'Évangile pour y découvrir non pas des maximes de sagesse ou même des prescriptions morales élevées, encore moins pour nous pousser à aimer, mais d'abord pour y découvrir un visage, celui de Jésus, sur lequel on lit l'invitation du Père à entrer dans leur communion. Au fond, l'amour ne vient qu'ensuite, car il ne s'agit pas d'arracher à notre cœur les fruits de l'amour – avant d'y avoir planté l'arbre de l'amour – par une tension héroïque de la volonté, mais d'accueillir la petite graine de l'amour trinitaire qui, déposée au fond de notre cœur, deviendra un grand arbre. Et nous en revenons toujours à la communion d'amour des Trois personnes ; c'est l'intention profonde et ultime de Jésus quand il demande au Père de sanctifier son grand nom.

2. LES TROIS PALIERS DE L'ÉVANGILE

On comprend que l'Évangile soit une révélation progressive de ce mystère. Il y a d'abord – et c'est la première couche des Synoptiques – le discours sur la montagne, avec l'intériorisation de la Loi qui culmine dans les Béatitudes : *On vous a dit... moi, je vous dis.* (Mt 5, 21-22). Et si l'on veut bien être vrai avec ces exigences de rupture, on doit avouer une radicale impuissance à aimer à la manière de Jésus. Ce qui justifie la parole du Christ :

Venez à moi, vous tous qui peinez sous le poids du fardeau et moi je vous donnerai le repos, car je suis doux et humble de cœur (Mt 11, 28-29), sous-entendu, vous essayez de porter le joug de la loi, et vous n'y parvenez pas, mais sachez que ce qui est impossible aux hommes est possible à Dieu (Mt 19, 26).

Lorsque l'homme a pris conscience de pouvoir le désirer, mais non de le réaliser, à cause de son incapacité radicale à aimer, il peut entendre l'annonce du Royaume en paraboles – c'est la deuxième couche. Jésus parle d'une semence, du levain, d'un pain de vie, de l'eau vive et du feu... autant d'images symboliques qui veulent faire comprendre à l'homme que le Royaume de Dieu est caché au fond de son cœur et que ce Royaume n'est rien d'autre que la vie éternelle, c'est-à-dire l'amour qui circule entre le Père et le Fils et qui est le Saint-Esprit. C'est la révélation de l'amour trinitaire, du secret de Dieu, ou le dévoilement de la Sainteté du Nom. Nous sommes bien toujours dans la première demande du *Pater*.

Le dernier mot sur ce secret nous sera livré par saint Jean. A quelques heures d'offrir sa vie pour que se réalise vraiment cette communion des hommes avec la Trinité, le Christ va cesser de parler en paraboles et va s'ouvrir en clair à ses disciples de l'intention profonde de son Incarnation : « Il est venu pour que les hommes aient la vie en abondance » (cf. Jn 10, 10). Ces disciples eux-mêmes lui disent : *Voici que maintenant tu parles ouvertement et que tu abandonnes tout langage énigmatique, maintenant nous savons que toi, tu sais toutes choses et que tu n'as nul besoin que quelqu'un t'interroge. C'est bien pourquoi nous croyons que tu es sorti de Dieu* (Jn 16, 29-30).

3. Jésus parle en clair

Jésus va désormais apporter la précision ultime sur son Incarnation rédemptrice et dire aux apôtres pourquoi il les a choisis pour amis. Les paroles qui vont suivre sont capitales pour comprendre le secret de Dieu et le mystère du nom du Père que Jésus veut sanctifier. Nous devons les avoir sans cesse sous les yeux et dans le cœur à l'oraison. Il vient de dire : *Aimez-vous les uns les autres comme je vous ai aimés* (Jn 15, 1). Il ne s'agit pas d'aimer avec n'importe quel amour, il s'agit d'accueillir dans notre cœur un amour incréé, infini, qui descend du Père dans le cœur du Fils et jaillit dans le nôtre. Maintenant, Jésus peut livrer son secret et parler de l'amitié trinitaire : *Vous êtes mes amis*, dit-il, *si vous faites ce que je vous commande. Je ne vous appelle plus serviteurs, car le serviteur reste dans l'ignorance de ce que fait son maître, je vous appelle amis, parce que tout ce que j'ai entendu auprès de mon Père, je vous l'ai fait connaître* (Jn 15, 14-15).

Il ne peut pas être plus clair sur ses intentions profondes. Il est venu pour que les hommes aient la vie en abondance, qu'ils connaissent le saint nom du Père et entrent dans cet immense courant d'amour qui l'unit au Fils et les fait baigner dans l'Esprit Saint. Ou mieux encore, il partage avec ses amis tout ce qu'il a vu, entendu et compris auprès de son Père. On voit bien ici ce qui constitue le fond de l'oraison ou du dialogue avec le Père : nous entretenir des choses de Dieu car, comme dit Jésus après son séjour au Temple : *Ne savez-vous pas qu'il me faut être chez mon Père* (Lc 2, 49). Voilà ce qui hantait la prière nocturne et diurne de Jésus.

4. « TOUT M'A ÉTÉ REMIS PAR MON PÈRE » (LC 10, 22)

Nous en revenons à la révélation de ce secret. Dans les Synoptiques, surtout en Matthieu, ce dévoilement du mystère trinitaire vient juste avant que Jésus dise : *Venez à moi, vous tous qui êtes fatigués...* à force de scruter ce mystère et de vouloir y pénétrer par une ascension verticale ! Comme si Jésus voulait faire comprendre qu'on n'entre pas dans ce mystère par effraction, ni à la force des poignets, mais seulement par grâce. Encore une fois, cela ne tient pas à un défaut de notre intelligence mais à une impuissance de l'homme à faire un pas vers Dieu. Il faut que le Père vienne lui-même vers lui et lui dévoile son nom et son visage de Père. En d'autres termes, l'homme doit être admis dans l'ordre surnaturel.

Jésus dit clairement que tout lui a été remis, un peu à la manière dont l'Apôtre Jacques dit que *Tout don parfait vient d'en haut, du Père des lumières* et la raison de cette gratuité – au sens où tout est grâce – doit être cherchée uniquement dans le bon plaisir du Père : *Oui, Père, c'est ainsi que tu en as disposé dans ta bienveillance. Tout m'a été remis par mon Père* (Lc 10, 21-22). Laissé à ses propres forces, l'homme n'a aucune prise sur ce mystère, il ne peut que le contempler et le désirer, comme le petit pauvre de saint Ignace est admis à une grande fête. La vraie question est de savoir comment faire pour attirer ou capter la bienveillance du Père (selon l'expression de saint Thomas qui parle de la *captatio benevolentiae*).

La suite du texte nous introduit plus profondément dans ce mystère en nous faisant comprendre qu'il y a entre le Père et le Fils et entre le Fils et le Père une connaissance, une relation et un amour mutuels qui nous échappent totalement : *Nul ne connaît qui est le Fils, si ce n'est le Père, ni qui est le Père, si ce n'est le Fils, et celui à qui le Fils veut bien le révéler* (Lc 10, 22). Il ne s'agit pas seulement ici du secret du Père mais du secret que le Père détient et partage avec le Fils et de la connaissance que le Fils a du Père. Nous sommes devant deux personnes qui nous renvoient à une troisième et dont nous pressentons que la vie serait transformée si elles nous faisaient entrer dans leur intimité : *Je vous révèle tout ce que j'ai appris de mon Père* (Jn 15, 15). Que faire alors ? Je crois que la réponse du Christ a une double face. Il faut d'abord obtenir qu'il veuille bien nous révéler le Père, ensuite, être prêt à tout quitter pour être admis dans cette intimité trinitaire.

Il est d'abord question de « bien vouloir » le révéler et, comme rien ne peut l'y obliger, on ne peut que l'attendre gratuitement, en le mendiant. Il faut obtenir que le Fils se laisse attendrir et « veuille bien » révéler le Père. Pourquoi faut-il le demander, si le désir de Dieu est de nous le donner ? Nous avons bien dit que le vœu le plus profond de Dieu est de révéler son nom aux hommes et surtout de leur dévoiler son secret. Nous devons le demander parce que si ce don est gratuit, il exige de notre part la foi en celui qui donne et le désir de le recevoir. Or, le seul signe du désir de voir le Christ et d'entrer dans sa relation avec le Père pour le connaître, c'est la prière : « Mon Dieu, je confesse que je ne crois pas beaucoup au Christ, que ma foi en lui est faible et qu'il faut peut-être un miracle pour le rencontrer. Alors je supplie Jésus de se manifester à moi, de m'arracher aux ténèbres et de me révéler le secret du Père », en ajoutant qu'on ne le mérite pas. En ce domaine, un vrai désir qui s'exprime dans la prière est toujours exaucé. Nos désirs ont toujours une part de rêve, mais la prière qui est retour au réel creuse le désir et fait tomber le rêve. Alors notre vrai désir est exaucé.

En même temps, j'adresse la même prière au Père en lui demandant de m'attirer vers Jésus, pour la bonne raison que nul ne peut venir au Christ pour le prier si le Père qui l'a envoyé ne l'attire. Il y a une force d'attraction qui part du Père, visite notre cœur et l'attire vers Jésus : c'est l'amour qui unit le Père au Fils. Cette même force d'attraction sera à l'œuvre dans la croix glorieuse : *Quand je serai élevé de terre, j'attirerai tous les hommes à moi* (Jn 12, 32).

Ainsi le Fils nous attire vers le Père, mais le Père nous attire aussi vers le Fils : nous sommes vraiment dans le jeu de la balle au chasseur, comme disait Thérèse d'Avila en plaisantant : « Dieu joue à la balle avec mon âme. » C'est un cercle qui n'en finit pas puisqu'il faut passer par le Christ pour aller au Père et que pour aller au Christ, il faut être attiré vers le Père. Nous verrons plus loin qu'à l'intérieur de ce cercle, il y a quand même une issue et que nous ne sommes pas condamnés à tourner en rond, en cherchant soit le Père, soit le Fils, puisque aujourd'hui le Christ en personne intercède lui-même pour nous.

5. Tout quitter…

Il y a une autre condition pour entrer dans le secret trinitaire. En bas de l'invitation du Christ, il y a un codicille : « Tenez-vous prêts, les lampes allumées, les reins ceints, une barque viendra vous chercher dans la nuit, au matin ou au milieu du jour. Tenez-vous prêts à partir et à tout quitter, car vous ne connaissez ni le jour, ni l'heure » (cf. Lc 12, 35 et 40). Il faudrait relire les chapitres 11 et 12 de l'épître aux Hébreux où tous les témoins de la foi quittent leur pays ou une situation dans laquelle ils étaient installés ; ils partent pour un pays inconnu, uniquement en faisant confiance en la Parole de Dieu : Abel, Hénock, Noé, Abraham, Moïse et pour finir, le Christ. Il est clair que ces hommes quittent leur sécurité pour se mettre à la recherche du secret de Dieu et, en un certain sens, ils espèrent déjà entrer dans la patrie trinitaire, pour connaître le Père.

Ainsi, il faut tout abandonner, surtout ce sur quoi nous nous appuyons. Il faut quitter son pays, sa femme, ses terres et ses enfants : *Quitte ton pays*, dit Dieu à Abraham. Pourquoi Dieu nous demande-t-il de tout quitter ? On ne peut pas voir Dieu sans mourir : *Tu ne peux pas voir ma face et demeurer en vie* (Ex 33, 18-20). Ainsi la révélation du nom de Dieu et de son visage le plus profond, c'est-à-dire le secret trinitaire, est liée au renoncement. Ce n'est pas une question de péché, mais c'est parce que Dieu ne ressemble à rien. Si belles que soient ses œuvres, si on veut posséder Celui qui a fait tout cela, il faut abandonner ce sur quoi on s'est appuyé. Il est permis de désirer tous les biens : argent, honneur, joie et tout ce qui est bon, mais il ne faut jamais oublier de convoiter le Donateur de ces dons.

Pour comprendre ce renoncement, il faut se rappeler ce que l'on a dit à propos de la sainteté de Dieu et de son visage inconnu : il faut quitter le côté où Dieu ressemble à quelque chose où il est imité et imitable par les créatures, pour trouver le côté par lequel il ne ressemble à rien, c'est-à-dire son visage de sainteté. Les *Upanishads* parlent d'une liqueur qui enivre, face à laquelle toutes les autres liqueurs perdent leur saveur : « Celui qui a goûté un jour de la liqueur d'ambroisie ne peut plus goûter autre chose. » Quand on a découvert le visage trois fois saint de Dieu, tous les autres bien paraissent comme des balayures.

Nous tombons à pic sur la parabole de la perle précieuse. Toutes les autres perles sont belles, mais elles ne sont rien à côté de la perle précieuse pour laquelle on vend tout parce qu'on est ravi de joie. Ainsi notre meilleur ami, nous ne nous permettons pas de le comparer. Angèle de Foligno le disait à propos du Bien divin : « Quand j'appelle ce bien-là un bien, je blasphème », car il ne supporte aucune comparaison. Si vous ne faites pas ce mouvement-là, vous n'entrerez pas en possession de la perle précieuse du visage du Père et de son secret. Nous ne l'estimons pas à sa juste valeur et il ne supporte pas d'être comparé à quoi que ce soit. C'est la jalousie de Dieu.

D'où le drame de Lucifer, le plus beau des anges. A cause de sa beauté, il n'a pas su faire ce mouvement et il nous suggère à l'oreille : « Faut-il abandonner tout cela pour trouver Dieu ? » Une comparaison familière peut nous aider à comprendre ce renoncement : ces biens sont des bagages qu'il faut laisser à la consigne pour prendre le train. Vous les retrouverez à l'arrivée de l'autre côté. Le service de récupération de la maison s'en charge et, en prime, il vous rend tout au centuple : *Personne n'aura laissé maisons, frères, sœurs, mère, père, enfants ou champs, sans recevoir au centuple maintenant en ce temps-ci, maisons, frères, sœurs, mère, père, enfants et champs, avec des persécutions et dans le monde à venir la vie éternelle* (Mc 10, 29-30). Si on ne joue pas ce jeu-là, on risque la mort éternelle.

Pour entrer dans la communion trinitaire et partager le secret de Dieu, Jésus nous avertit qu'il faut passer par la porte étroite et tout quitter. Pour sanctifier le nom du Père, il ne faut rien préférer à l'amour de ce nom et obéir à sa parole. Ainsi Jésus rejoint ce que la Bible enseignait déjà par les légistes et ensuite par les prophètes qui invitaient les fidèles à sanctifier le nom de Dieu par l'obéissance à ses commandements et en reconnaissant son autorité sur eux. Les prophètes diront ensuite que Dieu va se sanctifier en se manifestant comme le juste Juge et le Sauveur aux yeux de toutes les nations.

6. JÉSUS CHRIST INTERCÈDE POUR NOUS (RM 8, 34)

Même si nous connaissons matériellement le contenu du secret tel que Jésus nous l'a dévoilé dans l'Évangile, il n'en demeure pas moins vrai que nous aurons à le scruter tous les jours de notre vie et jusque dans l'éternité : ce mystère restera toujours nouveau pour nous. Cette découverte continuelle exige de nous ce que Gabriel Marcel applique à la connaissance de l'autre, quand il dit : « C'est une invocation continuelle. » Plus nous le découvrirons, plus nous aurons l'impression de ne pas le connaître, avec le désir infini de le rechercher, selon la parole de saint Grégoire de Nysse : « La vision de Dieu n'est autre que le désir incessant de Dieu[1]. » Mais tout cela risque de rester des mots pour celui qui ne l'a pas goûté et expérimenté. Il y a autant de différence entre savoir cela notionnellement et le connaître par expérience, qu'entre un lion représenté en peinture et un lion vu dans la

---

1. Grégoire de Nysse, *Vie de Moïse*, PG 44.404B.

réalité (saint François de Sales). Pour que la sainteté du Père éclate à nos yeux, il faut qu'il intervienne lui-même. Jésus sait bien que le Père seul peut se manifester tel qu'il est dans sa puissance et sa gloire, comme dans sa sainteté et sa grâce : c'est pourquoi il présente la sanctification du nom comme une demande : *Que ton nom soit sanctifié.* Jésus désire cette manifestation pour tous les hommes de tous les temps et de tous les lieux : *Je ne prie pas seulement pour eux, je prie aussi pour ceux qui, grâce à leur parole, croiront en moi* (Jn 17, 22).

Ainsi la prière de Jésus, *aux jours de sa chair*, s'adresse d'abord au groupe des disciples, puis s'étend à tous les hommes qui croient en lui. A présent qu'il est dans la gloire, sa prière a pris une dimension cosmique et une puissance venant de son intronisation au ciel. Lorsque nous disons la première demande du *Pater*, elle est aussitôt répercutée dans la prière actuelle de Jésus. Il faut nous attarder autour de cette prière car elle est l'activité essentielle du Christ en gloire. Lorsqu'on regarde les récits du Nouveau Testament où il est question du Seigneur ressuscité dans la gloire du ciel, on ne peut manquer d'être frappé par le fait que l'intercession est la seule activité qui lui soit attribuée en propre, avec le jugement eschatologique réservé à la fin des temps. En contrepoint de ce que nous disons, nous voudrions simplement citer les quatre textes où il est question de l'intercession du Christ et les reprendre en lien avec l'œuvre du salut et la sanctification du nom : Jn 14, 16 ; Rm 8, 34 ; He 7, 25 ; et 1 Jn 2, 1.

Lorsqu'on aborde l'intercession actuelle du Christ, il faut noter aussi que cette prière embrasse toute l'existence du Christ et surtout l'offrande de sa vie dans la Passion Résurrection. C'est dire que cette intercession tire son efficacité du sacrifice même de Jésus en croix. Le texte des Romains nous la présente ainsi dans un triptyque : *Jésus Christ est mort* (1), *bien plus, il est ressuscité* (2), *lui qui est à la droite de Dieu et qui intercède pour nous* (3). Le fait d'avoir traversé la mort et de l'avoir vaincue l'habilite à prier pour nous.

Le texte de l'épître aux Hébreux est encore plus significatif sur l'intercession du Christ. L'auteur évoque le sacerdoce exclusif du Christ qui le rend apte à intercéder pour tous ceux qui s'approchent de Dieu en passant par lui. *C'est pourquoi il est en mesure de sauver d'une manière définitive ceux qui, par lui, s'approchent de Dieu, puisqu'il est toujours vivant pour intercéder en leur faveur* (He 7, 25). La note de la TOB compare la prière de Jésus au cours de sa vie terrestre et sa prière dans la gloire. Il est vraiment à la droite de Dieu, exerçant son sacerdoce définitif : « Il ne s'agit plus ici de l'humble supplication du Christ aux jours de sa chair (5, 7). L'intercession est la démarche d'un personnage pleinement autorisé (cf. 3, 2), qui intervient auprès du pouvoir en faveur des gens qu'il prend en charge. Pour intercéder auprès de Dieu, nul n'est mieux placé que le Christ glorifié car il a été intronisé pour toujours à la droite de Dieu » (cf. Rm 8, 34 ; He 9, 24 ; 1 Jn 2, 1 ; TOB, note r, pp. 683-684).

C'est en raison de son obéissance que la prière du Christ est exaucée (He 5, 7). Et on peut dire qu'il n'y a aucune proportion entre les souffrances et la supplication du temps présent et la prière glorieuse qui doit être révélée en nous (Rm 8, 18). Il en va de même pour la prière du Christ. Il affirme lui-même avoir été toujours exaucé quand il présentait une demande au Père, au cours de sa vie terrestre : *Père, je te rends grâce de ce que tu m'as exaucé. Je savais bien que tu m'exauces toujours* (Jn 11, 42). A plus forte raison aujourd'hui qu'il a été intronisé à la droite du Père comme Seigneur de gloire.

7. JÉSUS, LE PARACLET…

Avant de regarder comment nous pouvons unir notre prière à celle du Christ en gloire pour que le nom soit sanctifié, demandons-nous quel est l'objet de l'intercession actuelle du Christ. Les deux derniers textes cités vont nous mettre sur la voie, mais il faut noter leur parenté et leur convergence réciproques. Dans la première lettre de Jean (1 Jn 2, 1), Jésus est présenté comme le *Paraklêtos*, le défenseur et l'avocat qui prend la défense des pécheurs devant le Père et, en Jean 14, 16, il dit qu'Il va prier le Père d'envoyer un *Paraklêtos* sur ses disciples, c'est-à-dire un *Défenseur*, exactement comme dans la lettre de Jean. Ainsi, dans les deux textes, la mission de Jésus qui intercède pour les pécheurs est de demander grâce pour eux, de remplir devant le Père le rôle d'avocat. Reprenons ces deux paroles.

Mes petits enfants, je vous écris cela, pour que vous ne péchiez pas. Mais si quelqu'un vient à pécher, nous avons un défenseur devant le Père, Jésus Christ qui est juste ; car il est, lui, victime d'expiation pour nos péchés, et pas seulement pour les nôtres, mais encore pour ceux du monde entier (1 Jn 2, 1-2). Alors que dans l'évangile de Jean, le terme de Défenseur (*paraklêtos*) qui vient à l'aide des croyants sur terre pour prendre leur défense désigne le Saint-Esprit, ici, il désigne le Seigneur Jésus qui intercède pour eux devant Dieu. Lorsqu'on parle de Défenseur, on pense aussitôt à un avocat qui prend la défense d'un condamné à mort pour demander sa grâce. Il faut ajouter à ces deux sens de défenseur et d'avocat une troisième signification, celle d'Intercesseur, qui sera encore mieux soulignée quand nous évoquerons la prière de l'Esprit qui est le grand Intercesseur.

Mais Jésus est l'Unique Intercesseur, puisqu'il est le seul Médiateur entre Dieu et les hommes. C'est par rapport à la prière des chrétiens et de l'Église que l'Esprit est dit Intercesseur, parce qu'il a pris le relais de la prière du Christ pour nous, aujourd'hui. Il est intéressant de noter que cette intercession tire toute sa valeur du fait de l'obéissance de Jésus qui s'est fait victime d'expiation pour nos péchés. Cette formule vient du vocabulaire sacrificiel de l'Ancien Testament (Ex 29, 36-37) et évoque le sacrifice volontaire de Jésus sur la croix. C'est comme victime d'expiation que Jésus intercède pour nous maintenant auprès du Père (Ap 5, 9-10). En demandant au Père de pardonner aux pécheurs que nous sommes, Jésus révèle le vrai visage du Père, le seul qui nous soit connu sur terre : son visage de miséricorde, puisque Jésus est venu pour les malades et les pécheurs et non pas pour les bien portants et les justes.

C'est en ce sens qu'il peut intercéder et demander au Père que son nom soit sanctifié. Non seulement Jésus nous a révélé qui était Dieu, mais encore il nous a introduits par son sacrifice expiatoire dans la Demeure du Père, c'est-à-dire la Trinité Sainte. Désormais, nous partageons son secret et nous vivons en communion avec les Trois : *Que tous soient un, comme Toi, Père, tu es en moi et que je suis en Toi, qu'ils soient un en nous eux aussi, afin que le monde croie que tu m'as envoyé* (Jn 17, 21). C'est pour que se réalise l'unité dans la Trinité que Jésus se consacre lui-même afin que nous soyons nous aussi consacrés dans la vérité (Jn 17, 19).

Venons-en maintenant au dernier texte sur l'intercession de Jésus. Il est extrait du Discours après la Cène, au moment où Jésus promet d'envoyer l'Esprit Saint aux apôtres et aux disciples. On pense normalement que cet envoi est quasi automatique et découle de la glorification du Christ. Il n'en est pas ainsi dans la réalité, d'abord de la part du Christ qui doit prier pour que cet Esprit vienne sur l'Église, ensuite de la part des disciples qui doivent attendre cet Esprit au Cénacle et le demander dans la prière, unis à celle de Marie.

Regardons le contexte dans lequel le Christ va évoquer cette prière pour l'envoi de l'Esprit. Il annonce d'abord qu'il retourne vers le Père et que son départ est nécessaire pour qu'il puisse envoyer l'Esprit Saint. Il ajoute que ses disciples feront des œuvres plus grandes que les siennes, s'ils croient vraiment en lui. Et voici le contexte immédiat de la parole de Jésus : *Tout ce que vous demanderez en mon nom, je le ferai, de sorte que le Père soit glorifié dans le Fils. Si vous me demandez quelque chose en mon nom, je le ferai* (Jn 14, 13). C'est donc dans un contexte de prière qu'apparaît la parole de Jésus qui est aussi une prière : *Si vous m'aimez, vous vous appliquerez à observer mes commandements ; moi, je prierai le Père : il vous donnera un autre Paraclet, qui restera avec vous pour toujours* (Jn 14, 15-16).

Et nous voici ramenés au texte précédent (1 Jn 2, 1) qui lui est parallèle. Ici, ce n'est plus Jésus qui est appelé auprès d'un accusé pour l'aider et le défendre, comme son avocat, mais c'est l'Esprit Saint qui aide et défend les disciples dans le vaste procès que le monde poursuit contre eux, aidé en cela par le prince des ténèbres, l'accusation de « nos frères » devant Dieu. C'est à partir du sens de Défenseur que l'on voit apparaître, appliqué à l'Esprit Saint, le sens de Consolateur et surtout d'Intercesseur, trois expressions que le pape développera dans la conclusion de l'encyclique *Dominum et Vivificantem* (Éditions Médiaspaul, n° 67, p. 135 et sq.).

Si l'on veut être fidèle aux textes qui parlent de l'intercession du Christ dans la gloire, on voit poindre deux objectifs à la prière de Jésus :

– d'abord, il intercède pour obtenir le pardon aux pécheurs, puisqu'il est « victime d'expiation pour leurs péchés ». Ici son intercession tire son efficacité de sa passion glorieuse et de son intronisation au ciel ;

– ensuite, il intercède pour demander l'Esprit Saint en faveur de ses disciples et annonce prophétiquement l'effusion de l'Esprit au soir de la Résurrection et au jour de la Pentecôte. L'efficacité de sa prière tient en ce qu'il est déjà glorifié. Quand Jésus demande au Père de glorifier son nom (de le sanctifier), une voix du ciel lui répond : *Je l'ai glorifié et je le glorifierai encore* (Jn 12, 28). Il est donc habilité à prier efficacement pour l'envoi de l'Esprit aux disciples qui seront à même d'invoquer et de sanctifier le nom du Père.

8. PÈRE, QUE TOUS LES HOMMES INVOQUENT TON SAINT NOM !

Ainsi Jésus intercède pour les pécheurs et, dans le même mouvement de conversion, il demande au Père que leur soit donné l'Esprit Saint. Au fond, l'objet ultime de la prière de Jésus, c'est que les hommes se tournent vers le Père et invoquent son nom dans la puissance de l'Esprit. Dans les Actes, la prédication de Pierre, le jour de la Pentecôte, aura le même mouvement : *Convertissez-vous, que chacun reçoive le baptême au nom de Jésus Christ et vous recevrez le don de l'Esprit Saint* (Ac 2, 38). C'est à la lettre, la réalisation de la première demande du Notre Père : *Que ton nom soit sanctifié.* Cette invocation résume la prière, l'œuvre, la prédication et le sacrifice de Jésus, dans la Passion glorieuse. Jésus est venu sur terre, il a parlé et il a souffert pour que tous les hommes entendent enfin l'appel du Père à se tourner vers lui et à le prier.

En d'autres termes, c'est lui qui, le premier, a sanctifié le nom du Père en manifestant sa sainteté aux yeux des hommes, qui n'est rien d'autre que la gloire de l'Amour miséricordieux. La sainteté de Dieu ou sa Gloire n'étant que le rayonnement de la puissance de son Amour pour les pauvres, les petits, les malades et les pécheurs, et sûrement pas une puissance écrasante et dominatrice. « C'est l'humilité de l'Amour, dit Dostoïevski, la force la plus puissante de toutes. » Dès qu'un homme comprend cet Amour miséricordieux ou voit cette sainteté, il a le cœur brisé ou broyé par la douceur de cet Amour qui est l'Esprit Saint, et il se met à crier : « Seigneur, prends pitié de moi, pécheur ! » Et en ce sens-là, il se tourne vers le Père et sanctifie son nom.

Chaque fois que nous disons en Jésus : « Père, que ton nom soit sanctifié », nous demandons que cette épiphanie de la miséricorde se réalise et que les hommes cèdent enfin à cet Amour en se livrant à l'invocation du nom. C'est pourquoi nous devons prier pour tous les hommes afin que le voile tombe, que leurs yeux se dessillent et reconnaissent l'Amour sur le visage de Jésus. Ensuite, il faut prier pour qu'ils soient fidèles à cette lumière et se mettent vraiment à prier et à invoquer le nom du Père. Si vous relisez tous les Pères de l'Orient, et plus spécialement les écrits de Silouane, vous verrez qu'ils ne cessent « de prier pour les pécheurs, en donnant le sang de leur cœur », et que dans le même mouvement, ils s'avouent eux-mêmes pécheurs, en confessant leur éloignement de Dieu : « Où es-tu, mon Dieu ? Je te cherche dès l'aurore, mon âme a soif de Toi. » Il y a comme un double mouvement dans leur prière : une lamentation, appel à trouver Dieu, et une supplication pour les pécheurs. Certains pourraient penser que la forme de prière qui convient surtout à la première demande du *Pater* est l'adoration, car la prise de conscience de la sainteté de Dieu devrait susciter en nous le prosternement de l'Adoration. En lisant la Bible, nous voyons que le premier éclair que l'homme perçoit de la sainteté de Dieu provoque en lui une prise de conscience de son péché et un cri vers Dieu pour qu'il s'éloigne de lui. Ainsi, Pierre dit à Jésus, après la pêche miraculeuse (Lc 5, 8) : *Arrière de moi, Seigneur, je suis un homme pécheur !* Isaïe a la même réaction dans la vision du Dieu trois fois saint au Temple : *Malheur à moi, je suis perdu, car je suis un homme aux lèvres impures et mes yeux ont vu le Roi, Yahvé Sabaoth* (Is 6, 5). Et Dieu peut alors purifier les lèvres du prophète avec la braise sanctifiée sur l'autel.

9. DIEU SAINT, PRENDS PITIÉ DE NOUS

Lorsque Dieu manifeste à un homme sa sainteté, il ne commence pas par illuminer son intelligence par des lumières spéciales ou à mouvoir sa volonté par des actes d'amour, mais il commence par lui briser le cœur en lui donnant la grâce du vrai repentir et de la conversion. C'est alors la prière du publicain : *Mon Dieu, prends pitié du pécheur que je suis* (Lc 18, 13). Dans cette prière de conversion jaillit la vraie prière d'adoration, c'est-à-dire le prosternement de tout l'être, face à cet amour miséricordieux qui nous dépasse et nous emporte dans le secret de Dieu. L'adoration jaillit vraiment dans un cœur humble et pauvre qui est ébahi et stupéfait de l'amour infini du Père pour lui. Dans ce cœur, l'adoration s'identifie avec la confession du péché : *Prends pitié de moi, pécheur.* Toute autre prière qui serait une adoration, une louange ou une action de grâce, mais qui ne passerait pas par le creuset de la conversion, du cœur brisé ou du repentir serait peut-être humaniste ou séculière. C'est pourquoi nos frères orientaux ne comprennent pas que nous terminions le *Trisagion* par une autre prière que « prends pitié de nous » : « Dieu saint, Dieu fort, Dieu immortel, prends pitié de nous » et non pas : « Nous t'adorons » ou « Nous te bénissons ».

Pour eux, les grands maîtres de prière de l'Évangile sont le publicain et le bon larron, parce que Jésus a exaucé immédiatement la prière du second en le prenant dans le Paradis et qu'il a dit au sujet de celle du publicain : *Mon Dieu, aie pitié du pécheur que je suis. Je vous le dis, ce dernier descendit chez lui justifié, l'autre non. Car tout homme qui s'élève sera abaissé, mais quiconque s'abaisse sera élevé* (Lc 18, 13-14).

Ceux qui prient de cette manière sont les véritables adorateurs en esprit et en vérité, tels que le Père les cherche et comme le Christ les désigne à la Samaritaine (Jn 4, 23). Ils appartiennent à la foule des Zachée, des Marie-Madeleine, des Matthieu, des publicains, des bons larrons et des

Samaritains, c'est-à-dire à la foule des pécheurs. Dans leur prière, ils ne se demandent pas s'ils adorent ou s'ils louent le Seigneur, mais ils l'invoquent tout simplement en criant vers lui leur détresse. Lorsque Yahvé se manifeste à Moïse au Buisson ardent et qu'il révèle son nom – *Je suis Celui qui suis* – (Ex 3, 14), il dit qu'il a vu la misère de son peuple et entendu la clameur de sa détresse et il ajoute : *C'est le nom que je porterai à jamais et sous lequel m'invoqueront les générations futures* (Ex 3, 15). Pour Yahvé, l'invoquer et l'adorer, c'est la même prière.

Au fond, quand nous disons dans le *Pater* : « Que ton nom soit sanctifié », nous demandons au Père, au nom de Jésus, le don de l'Esprit pour tous les hommes. D'une autre manière, nous demandons que leur soit faite la grâce de la prière et qu'ils se tournent vers le Père pour invoquer son nom. Bien sûr, le Père offre à tout homme la révélation de son visage, à cause de la prière de son Fils et de tous ceux qui, en lui, consument leur vie dans l'intercession, car Jésus a voulu s'adjoindre des hommes pour supplier avec lui. Mais quand les hommes ont été touchés par ce visage, ils doivent encore se convertir, c'est-à-dire se tourner vers le Père et se mettre à genoux pour l'invoquer.

N'est-ce pas une grande révolution, pour ne pas dire un petit miracle, dans la vie d'un homme, quand il se met à genoux pour crier vers Dieu ? C'est plus extraordinaire que la résurrection d'un mort, dit saint Thomas d'Aquin. C'est cette grâce-là qu'il faut demander pour tous les hommes, quand nous disons : « Que ton nom soit sanctifié. » En d'autres termes, il faut prier pour que se réalise la prophétie de Zacharie, à propos du petit reste : *Je répandrai sur eux un esprit de grâce et de supplication*. Il s'agit bien sûr de l'Esprit Saint (dans la Nouvelle Alliance) qui allume le feu de l'intercession dès qu'il touche le cœur de l'homme. Dès que celui-ci se met à supplier, il est virtuellement sauvé et, s'il persévère dans cette attitude de supplication, il sera délivré du péché un jour ou l'autre et il s'engagera dans un chemin de conversion continuelle. De plus, il expérimentera que la prière est la source non seulement de tous les biens, mais aussi de la paix, de la santé du corps et de l'âme, en un mot, du vrai bonheur, selon la parole de Thérèse d'Avila : « Tous les biens me sont venus par l'oraison. » Dès qu'un homme a trouvé la clé de la prière, il peut ouvrir toutes les portes du ciel et de la terre. Tous ses problèmes ne sont pas résolus pour cela, mais il a la clef pour trouver les seules solutions qui mènent à la libération.

10. ÊTRE A GENOUX OU PAS…

C'est grave de se mettre à genoux et encore plus grave de le refuser. Celui qui est à genoux espère et désire, c'est pourquoi il obtient tout. C'est sa manière de sanctifier le nom du Père, puisqu'il a reçu communication du secret de Dieu : *Tout ce que vous demanderez au Père en mon nom, vous l'obtiendrez* (Jn 15, 16). Il n'y a pas d'autre résolution pratique que celle de supplier. Il y a bien des situations où je suis incapable de donner d'autre conseil que la supplication. Si quelqu'un me dit qu'il ne peut pas pardonner, aimer, être chaste ou être humble, je ne puis que lui dire : « Suppliez et demandez cette grâce. » Et si quelqu'un me dit qu'il ne peut pas supplier, alors cette impossibilité le condamne parce qu'il y a en lui un certain refus de se tourner vers Dieu. Quelqu'un m'a dit un jour, lorsque je lui conseillais la supplication : « Vous ne comprenez pas qu'en me disant cela, vous me désespérez plus que jamais, car c'est précisément ce que je ne sais pas faire. Et mon désespoir est là ! » Quand on en est là, il ne reste plus qu'à savoir que quelqu'un d'autre prie pour vous.

Quand quelqu'un ne sait pas prier, il peut demander à un autre de le faire pour lui, ce qui d'ailleurs est encore une façon de prier. Il faut demander sérieusement à ceux qui le peuvent de prier pour vous, par exemple, en rendant visite à un monastère dans ce seul but, ou bien en demandant à un prêtre de dire la messe à votre intention : c'est plus important que vous ne le pensez. Si d'aventure, ceux à qui vous demandez cela oublient de le faire, peu importe, vous, vous avez prié du seul fait que vous avez demandé quelque chose à Dieu par leur intermédiaire.

Et c'est ce qui justifie dans l'Église la raison d'être des moines ou, d'une manière plus large, de ceux qui se consacrent à la prière continuelle. En disant cette première invocation du *Notre Père*, je demande toujours au Père de susciter dans le monde des hommes et des femmes qui consument leur vie dans la prière. En Occident, nous avons de la peine à comprendre cela, même dans les monastères, et on trouve suspect qu'un moine ait ce désir de ne faire que cela. Alors qu'en Orient, il est normal qu'un moine qui a fait ses preuves au monastère aille vivre dans la prière incessante. Je me demande si le renouveau de la prière chez les croyants, et surtout chez les jeunes, ne vient pas de ce que beaucoup de moines et de contemplatifs ne vont pas jusqu'au bout de leur vocation à la prière. Ils étaient aptes à cette vocation mais n'en étaient pas dignes et c'est pourquoi Dieu appelle les pauvres, les boiteux, les aveugles, les vagabonds et les pécheurs au banquet de l'amour trinitaire. Des gens très simples, souvent pauvres, ont reçu une telle grâce de prière incessante qu'ils nous confondent, nous et tous les « professionnels » de la prière. Car il est évident que le ciel et la terre tomberont s'il n'y a pas ces hommes qui gardent continuellement les mains levées et le cœur tourné vers le Père afin d'intercéder pour tous leurs frères. Dieu en suscite beaucoup aujourd'hui, car le monde court vers sa perte en dévalant un abîme. Et l'Église, ou plutôt les hommes d'Église, ont besoin de retrouver cette puissance de la prière, car nous vivons un temps où nous ne pouvons plus compter du tout sur nos prévisions, nos prospectives, voire nos analyses de situation et de décision. Que de schémas polycopiés sont déjà sortis de nos réunions, avec des résolutions bien élaborées et qui demeurent « lettre morte ». Bien plus, nous avons l'impression de nous enfoncer chaque jour un peu plus dans un désert d'incroyance. Pour l'Église, ce serait peut-être le moment d'aller au Désert, plus profond encore que ce désert de l'incroyance, c'est-à-dire le vrai Désert, là où Dieu se cache et paraît absent, mais tellement présent, parce qu'on s'épuise à le chercher, en criant vers lui.

11. Nous n'avons pas assez de priants

Il suffit de voir l'intercession de Moïse pendant quarante jours et quarante nuits, quand il voit l'infidélité du peuple au désert : *Je me jetai donc à terre devant Yahvé et je restai prosterné ces quarante jours et quarante nuits, et j'intercédai près de Yahvé pour le peuple* (Dt 9, 25-26). Seuls de tels hommes peuvent sauver le monde et être efficaces dans l'Église. Nous n'avons pas assez de priants, surtout de suppliants pour qui l'intercession est la seule chose qui compte dans leur vie : ce sont les colonnes de prière qui soutiennent le monde.

Le Père suscite de tels adorateurs et intercesseurs parce qu'il les cherche et les désire. Dès que l'homme a été plongé dans l'adoration, il devient intercesseur comme Moïse après l'apparition divine : *Aussitôt Moïse tomba à genoux sur le sol et se prosterna puis il dit : « Si vraiment, Seigneur, j'ai trouvé grâce à tes yeux, que Monseigneur veuille bien aller au milieu de nous, bien que ce soit un peuple à la nuque raide, pardonne nos fautes et nos péchés et fais de nous ton héritage »* (Ex 34, 8-9). Le Seigneur désire que des hommes soient toujours devant sa Face à intercéder pour leurs frères, s'unissant ainsi à la prière de Jésus l'unique intercesseur. Il est beau de penser que sur toute la surface de la terre, des priants soutiennent leurs frères dans l'intercession et empêchent le monde d'aller vers la ruine. Là, l'Esprit Saint est présent et donne toute son efficacité à l'intercession des hommes. Je crois que le fait de demander à Dieu d'accorder cette grâce de l'intercession à beaucoup d'hommes est une manière de prier pour la sanctification du Nom. N'oublions pas aussi de prier pour tous ceux qui ont reçu cette mission de prier pour leurs frères, afin qu'ils ne se découragent jamais d'intercéder sans cesse, car la persévérance dans la prière est le combat le plus difficile que nous ayons à mener sur terre.

Surtout, ne jetons pas l'anathème sur ceux qui n'ont pas encore compris et qui souffrent de ne pas savoir prier ou durer dans la prière : la prière est une grâce qui vient en son temps. Pour la recevoir, il faut la désirer et la demander aussi bien pour soi que pour les autres. Il y a un passage à réaliser entre une vie où la prière est une activité parmi d'autres et une vie où la prière est le centre de tout. La résolution de supplier est beaucoup plus importante que tout le reste. Il y a des gens qui méditent, font oraison ou s'exercent à la concentration et qui ne savent pas encore demander : ils ne supplient pas. Passer de l'un à l'autre est beaucoup plus difficile qu'on ne le soupçonne. Il peut arriver qu'il y ait des religieux, des prêtres, voire des moines, qui n'ont jamais rien demandé, qui ne savent même pas ce que c'est et s'évertuent à dire « merci », avant d'avoir dit « encore ». C'est plus mystérieux et plus rare que nous ne le pensons. Une fois, un de mes amis a entendu cette parole : « Tu n'as encore rien demandé en mon nom » ; il a compris qu'il disait le *Notre Père* sans vraiment supplier, et voulait obtenir par ses efforts ce qu'il ne voulait pas demander gratuitement et attendre comme un mendiant.

5

QUE TON RÈGNE VIENNE

Lorsqu'on regarde de plus près les trois premières invocations du *Notre Père*, on est frappé par leur rapprochement avec les Trois Personnes de la Trinité. Certains ont également établi un parallèle avec les trois vertus théologales, intégrant l'intuition trinitaire et reliant chaque demande du *Pater* à la foi, l'espérance et la charité : la foi dans la puissance du nom du Père, l'espérance de la venue du Règne et la charité visant la réalisation de la volonté de Dieu. La structure trinitaire du *Notre Père* n'est-elle pas encore plus apparente ? En proposant cette lecture un peu structurelle du *Pater*, qui est en fait une lecture chrétienne et ecclésiale, nous ne nions pas que la prière des disciples de Jésus s'apparente, pour le contenu aussi bien que pour la forme, aux prières juives et en particulier à la *Prière des dix-huit demandes* que les Juifs récitent encore aujourd'hui.

Les exégètes pensent que le *Notre Père* « s'en distingue d'abord par sa grande simplicité et par la liberté avec laquelle Dieu y est invoqué. L'ordre des demandes, lui aussi, est original et caractéristique de l'enseignement de Jésus. Elle commence par une triple prière qui est un appel à l'action de Dieu pour l'avènement de son Règne… Puis vient la série des requêtes exprimant les besoins essentiels des disciples. Dans cette deuxième partie, comme dans l'invocation, la première personne du pluriel rassemble les croyants individuels en communauté de prière » (TOB, Nouveau Testament, note v, p. 57).

1. UNE PRIÈRE TRINITAIRE

Au fond, c'est une relecture chrétienne de la *Prière des dix-huit demandes* avec, comme toile de fond, la précision ultime apportée par le Christ sur le mystère de Dieu qui est constitué par une famille de Trois Personnes. Ainsi, le climat trinitaire du *Notre Père* n'est pas surajouté de l'extérieur, mais il apparaît comme constitutif de ce Dieu vers qui on se tourne pour adresser cette prière. C'est aux Trois Personnes de la Sainte Trinité que nous adressons notre invocation, notre adoration, notre bénédiction et nos demandes.

Cette structure trinitaire de la prière apparaît comme une évidence aussi bien pour Jésus que pour les disciples qui ont accueilli son enseignement et partagé le secret qu'il détient avec le Père. Rappelons simplement pour mémoire que, dès le début, la prière est ciblée sur la personne du Père, dont l'invocation du nom est au centre. Vient ensuite la deuxième demande à propos du Règne inauguré par la personne même de Jésus ; la prière vise ici l'accueil du Christ venu chez les siens ou, d'une manière plus précise, la conversion proposée par Jésus, puisque le Royaume s'est fait proche (Mt 3, 2). Enfin, la troisième demande est déjà abordée dans la deuxième puisque certains témoins anciens, au lieu de traduire « Fais venir sur nous ton Règne » ont cette formule : « Fais venir ton Esprit sur nous et qu'il nous purifie » ; cette troisième invocation fait demander au Père la réalisation de sa volonté qui est essentiellement l'œuvre de la puissance de l'Esprit Saint. La tournure passive dans laquelle est traduite l'invocation « Que ta volonté soit faite sur la terre comme au ciel » nous laisse entendre que, pour Jésus, cet accomplissement de la volonté du Père est l'œuvre même de Dieu. En d'autres termes, c'est l'Esprit Saint donné aux chrétiens qui répand dans leur cœur l'*Agapé* de Dieu pour accomplir sa volonté.

Au fond, lorsque nous disons la première partie du *Notre Père*, nous faisons une prière trinitaire puisque nous nous tournons vers le Père pour l'invoquer ; nous lui demandons ensuite de nous attirer vers son Fils afin que son Règne vienne en nous et dans le monde, et enfin nous demandons à l'Esprit Saint de venir réaliser dans notre cœur la volonté du Père. Cette demande, nous pouvons aussi l'adresser au Père, au nom de son Fils Jésus.

Depuis que Jésus nous a révélé le Père et nous a promis l'envoi de l'Esprit, toute prière chrétienne est trinitaire. Même si elle ne s'adresse qu'à une personne de la Trinité, les deux autres sont aussi concernées par cette conclusion : « Par Jésus Christ ton Fils, notre Seigneur et notre Dieu, qui vit et règne avec toi, dans l'unité du Saint-Esprit, pour les siècles des siècles. » Il faut dire la même chose de l'oraison, en tant qu'elle appartient à l'ordre de la fin ultime, c'est-à-dire du ciel. Faire oraison, c'est goûter dès ici-bas la vie éternelle, connaître le Père et son envoyé Jésus Christ (Jn 17, 3). C'est le ciel qui commence en nous.

L'oraison est trinitaire, comme il est dit fréquemment dans le *Journal spirituel* de saint Ignace : « Il faisait oraison aux Trois Personnes de la Trinité. » C'est aussi évident chez Thérèse d'Avila, chez saint Jean de la Croix et chez sœur Élisabeth de la Trinité. On trouverait la même structure trinitaire dans l'Acte d'offrande à l'Amour miséricordieux de sainte Thérèse de Lisieux. Peu importe que l'oraison soit trinitaire dès le début ou qu'elle s'achève dans ce mystère, l'essentiel est que nous pénétrions en Dieu ou dans la famille trinitaire par le Verbe incarné. Pour beaucoup, l'entrée dans la « Demeure » se réalise par un appel prolongé à l'Esprit Saint qui nous fait accéder auprès du Père, dans l'intercession même de Jésus (He 7, 25). C'est aussi l'Eucharistie qui nous fait entrer dans le mystère trinitaire pour développer notre foi dans une incessante communion à la vie divine : « L'oraison, dit le cardinal Decourtray, c'est la communion engagée d'une présence, d'une connivence et d'une intimité avec le Dieu de Jésus Christ. » Faire oraison, c'est se trouver devant le Père, être uni au Christ, et demeurer dans l'Esprit Saint avec tout son être : corps, intelligence, cœur et volonté, que ce soit habituellement ou virtuellement, dans notre vie ou notre travail, que ce soit actuellement, dans les heures plus spécialement consacrées à l'oraison. L'un ne va pas sans l'autre.

2. AU CŒUR DU RÈGNE : LE CHRIST

Que nous en ayons conscience ou non – cela n'a pas tellement d'importance, du moment que cela est : la conscience est toujours seconde par rapport à l'être –, la prière du *Notre Père* nous fait pénétrer au cœur de la Trinité, là où est « notre Demeure », notre « chez nous », comme dit Élisabeth de la Trinité. Cela se réalise à notre insu pourvu que nous entrions dans l'intention et la prière du Christ. Si nous avons établi une certaine distinction entre les Trois Personnes de la Trinité et les trois premières demandes du *Notre Père*, c'est en définitive pour mieux les unir selon l'expression de Jacques Maritain : « Distinguer pour unir. » L'union ne se réalise pas d'abord au niveau des concepts ou des idées, mais surtout au niveau de l'être en relation, ce qui revient à dire qu'invoquer le Père, c'est d'une certaine manière prier le Fils et l'Esprit. Cela est apparu clairement dans les chapitres précédents.

Une fois dégagée cette notion, nous sommes d'autant plus libres pour mettre l'invocation du Christ au cœur du Règne. Il faut bien reconnaître que certains sont mal à l'aise quand ils doivent dire : « Fais venir ton Règne ». Pour eux, le Règne est une réalité abstraite que l'on assimile facilement au Royaume et, de là à le rapprocher des royaumes terrestres, il n'y a qu'un pas qui est vite franchi. C'est pourquoi l'usage juif évite de parler du Royaume de Dieu, mais dit plutôt « Royaume des cieux ».

A l'école de l'Ancien Testament, Matthieu sait que le Règne a toujours appartenu au Seigneur, mais l'évangéliste entend annoncer que ce Règne de toujours s'est approché des hommes dans la personne de Jésus. Comme dit la TOB : « La traduction "Royaume" ne convient strictement qu'au cas où le contexte impose un sens spatial (par exemple : entrer dans…). Ailleurs il convient de traduire Règne » (TOB, note g, pp. 47-48).

La parole de Matthieu, ou plutôt la proclamation de Jean-Baptiste dans le désert de Judée, est claire : elle relie la proximité du Règne à la venue de Jésus. Face à la personne du Christ, il faut se convertir : *Convertissez-vous, le Règne des cieux s'est approché.* Il faudrait relire ici la note h de la TOB (p. 48) qui précise le sens du terme : « *approché* ». Si le Règne n'est pas encore pleinement réalisé, il est secrètement inauguré dans la personne et l'activité de Jésus, mais il sera bientôt manifesté à tous. De toute façon, la venue du Règne exige la conversion.

Le but de notre invocation n'est pas une réalité abstraite : le Règne – pour lequel nous serions plus ou moins bien motivés, à cause de nos structures mentales étrangères à la notion de roi, de royaume ou de règne –, c'est la personne même du Christ, centre de notre prière. De même que nous invoquons le Père dans la première demande, ici nous invoquons le Christ en le suppliant d'établir son Règne en nous. Il faudrait relire ici la méditation du Règne chez saint Ignace et entendre l'appel du Christ à nous mettre à son service. Le tout s'achevant sur l'offrande de tout l'être à Dieu, avec la volonté et le désir d'imiter et de suivre le Christ, « en supportant toutes injures, tout opprobre et toute pauvreté réelle aussi bien que de cœur » (*Exercices*, n° 98). Pour Ignace, entrer dans le Règne, c'est contempler la vie du Roi éternel, en acceptant de le suivre là où il nous mènera.

L'entrée dans le Règne n'est pas une œuvre que l'homme entreprend avec ses propres forces et ses moyens humains, comme s'il s'agissait pour lui de décider de suivre ou non le Christ : c'est une œuvre de la grâce. Ce qui revient à dire que l'homme doit prier pour y être admis gratuitement. Il demande au Christ de bien vouloir l'accueillir dans son

Royaume, comme le bon larron prie intensément sur la croix : *Jésus, souviens-toi de moi, quand tu viendras comme Roi*. Et Jésus répond à sa demande, comme il exauce toutes nos prières, par ces mots : *En vérité, je te le dis, aujourd'hui tu seras avec moi dans le paradis* (Lc 23, 42-43). Pour Jésus, admettre quelqu'un dans le Royaume, c'est l'introduire au Paradis et il précise au bon larron : *Tu seras avec moi*, lui laissant entendre qu'entrer dans le Royaume et être avec lui, dans une relation d'amitié et d'intimité, c'est la même chose. Quand saint Ignace propose cette méditation du Règne, il ne procède pas d'une autre manière que la pédagogie du *Notre Père* ; il invite le retraitant à une oraison trinitaire : « Me rappeler comment les Trois Personnes divines considèrent toute la surface et l'immensité de la terre pleine d'hommes, elles décrètent en leur éternité que la seconde Personne se fera homme pour sauver le genre humain » (*Exercices*, n° 102). Ainsi, l'oraison nous place d'emblée au cœur de la Trinité de qui vient tout don et vers qui remonte toute l'humanité. Immédiatement après, pour introduire le priant au cœur du Royaume, il l'invite à prier pour obtenir la connaissance du Christ : « Demander ce que je veux. Ici, ce sera la connaissance intime du Seigneur qui s'est fait homme pour moi afin de mieux l'aimer et le suivre » (*Exercices*, n° 104).

Entrer dans le Royaume équivaut à connaître le Christ d'une manière intime et personnelle pour le suivre. Ce qui est au cœur de cette démarche, c'est la suite du Christ dans son exode pascal, au sens où saint Paul dit : *Il s'agit de le connaître, lui, et la puissance de sa résurrection et la communion à ses souffrances, de devenir semblable à lui dans sa mort, afin de parvenir, s'il est possible, à la résurrection d'entre les morts* (Ph 3, 10-11).

Lorsqu'un homme demande au Père de l'attirer vers Jésus (Jn 6, 44), pour le connaître et le suivre, il réalise à la lettre la deuxième invocation du *Notre Père* : « Que ton Règne vienne », puisque le Royaume s'est approché de nous dans la personne de Jésus. Dès que le Royaume est présent, la seule attitude qui convienne pour y entrer est de se convertir : *Convertissez-vous : le Règne des cieux s'est approché* (Mt 3, 2). C'est aussi la seule façon de connaître le Christ. La conversion est l'unique chemin pour nous mener au Royaume et nous faire connaître le Christ.

Il nous arrive parfois de penser que la connaissance du Christ est le fruit d'un raisonnement, qu'il suffirait de réfléchir et de méditer sur l'Évangile pour recevoir quelques lueurs sur sa personne. D'autres pensent que cette connaissance est le fruit d'une perfection morale : à force d'ascèse et de sacrifices, on pourrait suivre le Christ et le connaître. Certains enfin pensent qu'il faut prier pour demander au Père de nous révéler son Fils. Toutes ces attitudes ne sont pas fausses, mais elles ne peuvent nous introduire dans le mystère de la connaissance du Christ qu'à condition de s'enraciner dans la conversion du cœur. Ainsi, la prière est fondamentale pour nous faire connaître le Christ, mais pas n'importe quelle prière, surtout pas celle qui nous ferait faire l'économie de la découverte la plus fondamentale, celle de notre détresse d'être un pécheur. Il y a là un passage obligé que tous doivent franchir pour recevoir quelques lueurs sur le visage du Christ. De même, nous aurons besoin de notre intelligence pour scruter les contours de ce visage dans l'Évangile, mais à condition que nous soyons convertis, en ayant conscience de ce que nous sommes aveugles, sourds et muets. De même, nous ne pourrons pas connaître le Christ, sans renoncer à nous-mêmes, dans un effort de perfectionnement moral, mais cet effort devra toujours procéder d'un bouleversement du cœur dans la conversion. Sans conversion, il n'y a pas de prière, pas de sainteté et encore moins de connaissance du Christ.

3. LE CŒUR BOULEVERSÉ

Quand Dieu introduit un homme dans le Royaume des cieux en lui révélant son Fils Jésus Christ, il n'éblouit pas directement son intelligence, il ne lui donne pas des sentiments merveilleux, mais il lui brise d'abord le cœur. L'intelligence et la volonté suivront ensuite, de loin, lorsque le cœur aura été contrit et humilié. Dieu aurait pu se révéler à l'homme par d'autres chemins, mais il ne l'a pas fait, il a choisi la voie de la conversion, c'est-à-dire celle du cœur retourné et brisé. Quand Dieu veut se faire connaître de nous, il nous fait descendre, marche après marche, dans l'abîme de notre misère et de notre péché. Et pour cela, il nous bouscule et nous déconcerte en nous réduisant à notre plus simple expression, à nos limites et à nos faiblesses, mais toujours avec beaucoup de douceur.

L'Écriture a une très belle expression pour nous initier à cette expérience, elle parle du « cœur bouleversé » (Ac 2, 37). Et il est intéressant de noter dans quel contexte cette expression apparaît, car il est révélateur de la pédagogie mise en œuvre par l'Église primitive pour prêcher la conversion et l'entrée dans le Royaume. Alors que Jean-Baptiste appelle à la conversion parce que le Règne des cieux est proche, c'est-à-dire le Christ, l'Église primitive va proclamer cette instauration du Royaume, en Jésus Christ mort et ressuscité, qui envoie l'Esprit.

C'est dans les chapitres 2 et 3 des Actes que nous trouvons le discours aux Juifs réunis à Jérusalem. Tous ces hommes sont encore sous le coup de l'effusion de l'Esprit sur les apôtres, le jour de la Pentecôte. Ils sont sidérés de les entendre parler chacun dans leur langue et surtout de toucher du doigt les signes et les miracles que les apôtres opèrent sous leurs mains. De plus, ils sentent que quelque chose « bouillonne » en eux, au point qu'ils se demandent s'ils ne sont pas ivres de vin doux.

Alors saint Pierre va faire un grand discours pour leur montrer qu'ils n'ont pas bu (il n'est que la neuvième heure), mais que Dieu vient de répandre son Esprit Saint sur ses fils et ses filles et que tous sont devenus prophètes. Et c'est alors qu'il va leur parler de Jésus : *Cet homme Jésus, le Nazaréen que Dieu avait accrédité auprès de vous, en opérant par lui des miracles, des prodiges et des signes, au milieu de vous... vous l'avez livré et supprimé en le faisant crucifier par la main des impies* (Ac 2, 22-23).

On pourrait dire les choses d'une autre manière. Je suppose qu'un enfant élevé en dehors de toute foi chrétienne entre dans une église et voit la croix ; on lui explique alors ce que dit Pierre : « Cet homme était profondément bon, il guérissait les malades, consolait les malheureux, soulageait les pauvres et libérait les pécheurs des liens de leurs péchés... mais on l'a mis à mort... » « Vous êtes complètement fous, répondrait cet enfant, de l'avoir fait crucifier, puisque vous dites qu'il était bon. » C'est alors qu'on pourrait reprendre la parole de Pierre : *Je sais bien, frères, que vous avez agi dans l'ignorance, comme vos chefs* (Ac 3, 17).

Au fond, on expliquerait à cet enfant que Jésus est mal tombé ; il n'a pas eu de chance, il est venu à une époque où le monde n'était pas très civilisé, mais s'il venait aujour-d'hui, nous l'accueillerions autrement. Il suffit de voir le sort que l'on fait aux hommes qui disent la vérité, dénoncent l'injustice et défendent les droits de l'homme, pour s'aper-cevoir que Jésus aurait le même sort qu'eux aujourd'hui. Quatre cent cinquante ans avant la venue du Christ, Platon disait déjà que si un homme pleinement juste venait sur terre, sa justice serait tellement insupportable aux hommes qu'on le prendrait, on lui crèverait les yeux et on l'empale-rait. C'est le destin normal d'un envoyé de Dieu dans le monde et cela ne pouvait pas se terminer autrement. Et c'est là que nous arrivons au cœur de la question… Alors, l'en-fant nous dira, stupéfait : « Mais vous êtes tout à fait fous et, ce qui est plus grave, vous êtes des monstres. » Eh bien oui, il faut avouer que nous sommes des pécheurs et des monstres, c'est-à-dire des hommes capables de mettre à mort l'envoyé de Dieu, et cela fait partie des articles les plus importants de notre foi. Le pire n'est pas ce que nous pour-rions devenir en face d'un ennemi cruel, mais bien en face d'un envoyé de Dieu, en l'occurrence ici, son Fils. Il y a chez les hommes de Dieu, les saints et les prophètes, une lumière pénétrante à laquelle notre orgueil supporte mal d'être exposé. A bonne distance, on les supporte encore, trop près, on risque d'avoir envers eux une réaction de rejet.

En fin de compte, nous sommes des girouettes, nous res-semblons à saint Pierre : tantôt nous confessons Jésus comme Fils de Dieu et nous l'acclamons ; tantôt nous ne le supportons plus et nous le renions, parfois à l'instant même où nous confessions notre foi. Si Jésus Christ reve-nait aujourd'hui, les choses seraient encore plus vite réglées : pensez au destin du pasteur Martin Luther King, à Mgr Romero et au Père Jerzy Popielusko.

Saint Pierre ajoute tout aussitôt : *Mais Dieu l'a ressuscité en le délivrant des douleurs de la mort, car il n'était pas possible que la mort le retienne en son pouvoir...* (Ac 2, 24). *Ce Jésus, Dieu l'a ressuscité, nous tous en sommes témoins. Exalté par la droite de Dieu, il a donc reçu du Père l'Esprit Saint promis et il l'a répandu, comme vous le voyez et l'entendez* (Ac 2, 32-33). Jésus ne peut plus mourir. Bien plus, il est ressuscité et il envoie l'Esprit Saint dans les ténèbres de notre cœur. Ainsi, nous sommes des pécheurs, des monstres, mais des monstres que Jésus a le pouvoir de séduire par la puissance de son Esprit. Et ce pouvoir, il l'exerce depuis deux mille ans, de telle sorte que certains parmi nous deviennent des saints. Nous n'avons pas fini de scruter cette parole de Jésus qui doit sans cesse illuminer notre cœur : *Quand j'aurai été élevé de terre, j'attirerai à moi tous les hommes* (Jn 12, 32).

Alors, regardez bien comment les choses se passent quand les Juifs ont sous les yeux ce spectacle de Jésus en croix. Cela devra se reproduire pour nous, comme dit le pape Jean-Paul II dans son encyclique sur l'Esprit Saint (*Dominum et Vivificantem*) – remarquez en passant qu'il emploie la même pédagogie que saint Pierre dans les Actes –, c'est en contemplant le Christ en croix que nous découvrons la profondeur de notre péché et non pas en nous regardant nous-mêmes : « Face au mystère du péché, il faut sonder *les profondeurs de Dieu* jusqu'au bout. Il ne suffit pas de sonder la conscience humaine en tant que mystère intime de l'homme ; il est nécessaire de pénétrer dans le mystère intime de Dieu, dans ces *profondeurs de Dieu* que synthétise la formule : au Père, dans le Fils, par l'Esprit Saint » (p. 55).

Établir la culpabilité, c'est montrer le mal qu'est le péché, par rapport à la croix du Christ... L'homme ne connaît pas cette dimension, il ne la connaît absolument pas en dehors de la croix du Christ. Il ne peut donc être « convaincu de cela que par l'Esprit Saint, l'Esprit de vérité, mais aussi Paraclet » (p. 57).

Les choses se passent ainsi dans les Actes : *Ils eurent le cœur bouleversé en entendant cela* (Ac 2, 37). Au moment même où les Juifs découvrent qu'ils sont capables de mettre à mort l'amour même de Dieu révélé en Jésus Christ, à cet instant-là, leur cœur est broyé et brisé par la douceur et la force de cet amour. Ce n'est ni avant ni après qu'ils ont le cœur bouleversé, mais au moment même où le regard de Jésus en croix croise leur propre regard et broie leur cœur dans le même amour trinitaire. Saint Augustin interroge le bon larron en lui demandant quand et comment il avait découvert l'amour de Jésus pour lui. Et le bon larron a cette réponse admirable : « Il m'a regardé et, dans son regard, j'ai tout compris. »

On comprend alors la question des Juifs qui ont expérimenté dans *leur cœur bouleversé* le dégel de la banquise : *Le cœur bouleversé d'entendre ces paroles, ils demandèrent à Pierre et aux autres apôtres : que ferons-nous, frères ?* (Ac 2, 37). La réponse de Pierre ne se fait pas attendre : *Convertissez-vous, que chacun de vous reçoive le baptême au nom de Jésus Christ pour le pardon de ses péchés et vous recevrez le don de l'Esprit Saint* (Ac 2, 37-38). Tout l'itinéraire de l'initiation chrétienne est là, tracé par Pierre : il faut d'abord se convertir, puis être baptisé dans la mort et la résurrection du Christ pour obtenir le pardon de ses péchés et ensuite recevoir l'Esprit Saint.

4. « CONVERTISSEZ-VOUS »

Bien que notre situation soit différente de celle des Juifs de cette époque puisque nous avons déjà été baptisés, notre cheminement spirituel doit se rapprocher le plus possible de cet itinéraire. En un certain sens, nous devrions toujours avoir la mentalité d'un converti de fraîche date. Et si nous n'avons plus à être baptisés au nom de Jésus, nous avons au moins à renouveler le don de notre être au Christ ; c'est ce que nous faisons chaque année la nuit de Pâques, en renouvelant les promesses de notre baptême. Nous avons à nous convertir tous les jours. Chaque matin, en nous levant, nous pouvons nous dire, comme les anciens Pères du désert : « Je n'ai pas encore commencé à me convertir. » Seul ce retournement du cœur peut nous disposer à être envahi par le Saint-Esprit.

En un certain sens, notre situation est plus compliquée que celle des nouveaux convertis car nous sommes tellement habitués à être chrétiens que nous ne soupçonnons plus à quel point nous sommes pécheurs et avons besoin de conversion. Bien des chrétiens ont été dérangés en lisant la deuxième partie de l'encyclique ayant trait à l'Esprit Saint, qui révèle notre péché et celui du monde, et ils se sont dit : « On va encore une fois nous parler du péché et nous culpabiliser. » Au fond, nous sommes beaucoup plus conscients de nos fautes que du fait d'être des pécheurs. Et c'est là que nous devons revenir au *cœur bouleversé* des Actes. Bien sûr, nous savons que nous sommes pécheurs, mais du bout des lèvres, comme une pieuse convenance ; peut-être aussi à cause d'une inquiétude naturelle. Mais nous ne le savons pas vraiment et surtout, nous n'en sommes pas convaincus. Notre cœur n'a pas encore été retourné, brisé et contrit pour de bon et, pour en arriver là, il doit subir une véritable initiation. Souvenez-vous de ce que nous avons dit plus haut de la situation de ces hommes à qui Pierre reproche d'avoir mis le Christ à mort ; soudain ils se découvrent coupables d'une telle monstruosité et disent : *Frères, que devons-nous faire ?*

Il en va de même pour nous et il est particulièrement douloureux de constater que nous sommes des pécheurs et des monstres, lorsque nous commençons à subir la séduction de Jésus Christ ressuscité. Il se passe alors quelque chose comme dans l'histoire de la Belle et la Bête : à force de regarder la Belle, la Bête devient belle à son tour. A force de contempler Jésus en croix, le seul juste innocent, nous devenons aussi des justes, ou du moins, la sainteté commence à brûler dans notre cœur. Ou, pour prendre une autre comparaison, nous ressemblons à l'albatros de Baudelaire : « Ses ailes de géant l'empêchent de marcher. » Depuis notre baptême, il nous est poussé des ailes de géant pour voler vers Dieu, mais notre ventre colle à la terre et nous empêche de prendre notre élan vers Dieu.

En cette période déchirante et paradoxale, nous continuons à être pécheurs, tout en étant déjà des fils de Dieu dont le cœur brûle comme celui des disciples d'Emmaüs. On pourrait espérer qu'une fois séduits, nous cessions d'être des monstres, mais il n'en est rien. Pourtant au fond du découragement le plus accablant, celui du cœur des disciples d'Emmaüs, le nôtre commence à brûler à notre insu. Nous reconnaissons Jésus Christ et nous comprenons que nous l'aimons par grâce : *Il nous a aimés le premier* (1 Jn 4, 19).

Mais – il faut le répéter car nous n'en sommes pas conscients à cause de l'habitude – au début, nous ne sentons rien, si ce n'est le désespoir d'être des pécheurs, tout en étant soutenus par une confiance obscure et insaisissable d'être sauvés, jusqu'au moment où Jésus Christ se dévoile d'une manière ou d'une autre : alors nous comprenons que notre détresse venait précisément de ce que nous brûlons d'amour, tout en étant des pécheurs. Et nous commençons à proclamer et à supplier : « Jésus est notre Sauveur. Il est ressuscité. » C'est le sens de la proclamation de saint Pierre : *Ce Jésus, Dieu l'a ressuscité, nous tous en sommes témoins* (Ac 2, 32). Il a manifesté ce que nous sommes en se laissant crucifier, c'est une des raisons (il y en a d'autres) pour laquelle il a refusé de se défendre, afin de nous montrer de quoi nous sommes capables. Comme dit l'Écriture, il nous délivre en brûlant notre cœur. Seulement, comme c'est long, il a besoin de notre confiance, de notre patience et de notre prière.

« Vous avez un cœur de pierre capable de crucifier l'Envoyé de Dieu, mais si vous vous laissez faire, je vous enlèverai votre cœur de pierre et je vous donnerai un cœur de chair pour me connaître et entrer dans le Royaume. » Ceux qui se laissent toucher par le spectacle du Crucifié montrent qu'ils ont reçu un cœur de chair, si faible soit-il, au plus profond de leur cœur de pierre. S'ils sont fidèles et s'ils prient, ce cœur de chair se met à brûler, mais toujours à l'intérieur du cœur de pierre. C'est très douloureux : c'est ce que les mystiques appellent les purifications passives ou le purgatoire sur la terre, qui nous préserve de l'autre.

En d'autres termes, nous devons subir une opération de raffinage qui va du cœur transpercé et brisé au cœur liquide des saints, en passant par le cœur moulu en poudre, selon la belle définition du mot « contrition » (*contere* :

réduire en miettes). La première étape est d'avoir le cœur brisé de repentir, comme dit Thérèse de Lisieux à la fin des *Manuscrits autobiographiques* : « Oui, je le sens, quand même j'aurais sur la conscience tous les péchés qui se peuvent commettre, j'irais le cœur brisé de repentir, me jeter dans les bras de Jésus, car je sais combien il chérit l'enfant prodigue qui revient à lui » (*MA*, p. 313). La deuxième étape nous mène au cœur liquéfié et donc au cœur liquidé.

On peut faire des prouesses d'ascèse et ne pas accepter de se laisser briser le cœur. Tout peut être objet de damnation, même l'ascèse et la prière « orgueilleuses », sauf le fait d'avoir le cœur brisé. Plus nous sommes orgueilleux et durs, plus l'opération de raffinage est douloureuse. Chez certains, il faut y aller à coups de marteau. On pense ici au boulet de canon qui brise la jambe de saint Ignace et l'amène à sa grande retraite de conversion. Il y a des exceptions : pensez à Thérèse de Lisieux qui se laisse chauffer tout de suite à haute température. Cela ne fait pas moins mal, mais c'est une douleur causée par l'amour. En tout cas, il faut une confiance inouïe pour se jeter ainsi dans les bras de Dieu. Il est dans la logique humaine de ne pas faire cet acte de confiance. Et c'est là, au niveau de la confiance, que nous avons besoin de recourir à la Vierge, car elle est le Refuge de pécheurs et la Mère de la miséricorde. Elle seule peut nous inspirer la vraie confiance car elle connaît le cœur de Dieu et elle nous apprend à nous précipiter dans ce cœur. Personne n'arrêtera jamais sa confiance.

Nous devons nous présenter à Dieu comme un pécheur au cœur brisé parce que nous connaissons le cœur de Dieu : c'est un mouvement dont la Vierge a le secret. Pour avancer dans le chemin du cœur brisé, il faut sentir le secret qu'il y a dans le cœur de la Vierge. Et il faut avouer que nous ne consacrons pas beaucoup de temps à prendre ce chemin, car nous ne sommes pas totalement orientés vers la Vierge. Nous voulons garder notre cœur intact et nous ne travaillons pas dans la bonne direction en empruntant la voie mariale. Très souvent, nous perdons les neuf dixièmes de notre énergie dans le vide, à vouloir lutter avec nos propres forces, alors que la prière à Marie dégagerait en nous l'or pur de la vraie confiance qui met à nu le cœur brisé de repentir.

Ceux qui prient la Vierge doivent s'attendre à découvrir un peu plus qu'ils sont des pécheurs et donc des cœurs durs. Il faut pleurer cette cruauté et c'est la Vierge qui nous l'apprend avec sa douceur habituelle. C'est elle aussi qui nous apprend combien nous sommes pécheurs dans notre désir de sainteté. C'est elle qui nous protégera des dangers du péché qui sont réels et des dangers de la vertu qui sont aussi dangereux. Quand la vertu commence à grandir en nous, elle s'empresse de nous montrer combien nous sommes pécheurs dans notre désir de perfection. Nous voyons par là combien nous devons recourir à elle dans l'humble supplication du chapelet, chemin pauvre vers la prière incessante. Marie a un lien privilégié avec les pécheurs pour leur apprendre à devenir agréable à la miséricorde de Dieu. Regardons maintenant comment le Seigneur nous invite à collaborer à notre conversion par la confiance et la prière : que nous utilisions la prière de Jésus ou le chapelet, c'est toujours la même démarche d'humilité dans laquelle nous demandons au Christ ou à la Vierge d'avoir pitié de nous ou d'intercéder pour nous, afin que nous recevions la grâce de la conversion.

5. « L'HUMBLE PRIÈRE DU PUBLICAIN »

Si la conversion nous est indispensable pour entrer dans le Royaume, il ne suffit pas de vouloir se convertir pour que cela soit fait. Que de fois avons-nous pris la résolution de nous convertir au début du Carême ou après une confession, sans que cela aboutisse même à un début de réalisation. Nous sommes très velléitaires dans ce domaine. Le premier pas qui nous mènera vers la conversion sera de recevoir une lumière extrêmement profonde sur l'amour miséricordieux de Dieu pour nous et une lumière aussi vive sur notre être de pécheur. Cela nous fera expérimenter l'urgent besoin de nous convertir.

C'est parce que le Royaume est là présent et que le Christ nous regarde avec une tendresse infinie que nous nous convertissons. Pensons au regard du Christ sur Pierre après son triple reniement : *Le Seigneur, se retournant, posa son regard sur Pierre ; et Pierre se rappela la parole du Seigneur qui lui avait dit : « Avant que le coq chante aujourd'hui, tu m'auras renié trois fois ». Il sortit et pleura amèrement* (Lc 22, 61-62). Il a le cœur bouleversé, comme un jour il bouleversera le cœur de ses auditeurs en leur « dépeignant » le Christ en croix. Ici, il ne voit pas le Crucifié, mais il est transpercé par son regard, qui lui rappelle une parole de Jésus – c'est toujours la Parole de Dieu qui nous convertit. Et au moment où il découvre le visage d'amour infini du Christ qui se tourne vers lui, Pierre découvre qu'au fond de son cœur, il le repousse depuis qu'ils sont ensemble ; c'est là son péché fondamental dont le péché du reniement n'est qu'une conséquence normale. Il ne peut pas découvrir son vrai péché tant qu'il n'a pas découvert le regard d'amour de Jésus pour lui et comprendre qu'au fond de son cœur il le repousse et ne veut pas descendre jusque-là pour s'y perdre dans l'adoration, comme le disciple que Jésus aimait.

Avec le regard du Christ sur Pierre, nous saisissons le processus de la vraie conversion : instant de grâce où le péché et le pardon se dévoilent en même temps au cœur de l'homme, où le brasier de la colère de Dieu se convertit en buisson ardent de miséricorde parce que le pécheur crie vers Dieu sa détresse – soit dit en passant, mais nous y reviendrons, s'il n'y a pas de cri de la part de l'homme, il n'y a pas de miséricorde du côté de Dieu. Ainsi, la grâce de la conversion n'est pas d'abord une grâce de force, mais une grâce de lumière qui fond sur nous, imprévue et imprévisible, par laquelle nous nous laissons prendre jusqu'à la division de l'Esprit. Les larmes que cela provoque sur les péchés ne sont plus des inquiétudes et des craintes. Nous croyons que nous avons refusé l'amour et que ce même Amour s'offre de nouveau à nous.

La conversion suppose notre consentement, mais c'est tout de même un événement que nous subissons ; nous ne le fabriquons pas, parce que c'est l'axe de notre vie qui change. Il ne s'agit plus de progresser vers un but, mais de changer de but, comme Paul sur le chemin de Damas : il doit adorer et se livrer à ce Jésus qu'il persécute. Il ne s'agit plus de faire des progrès et des efforts pour devenir meilleur, mais de subir un véritable retournement (*métanoïa*).

Ainsi nous comprenons que par nous-mêmes, nous ne pouvons pas provoquer la conversion, nous ne pouvons pas aller jusque-là, nous pouvons améliorer les moyens, mais non changer le but. Nous retrouvons là le rôle de la prière. Pour recevoir cette grâce de la conversion, nous devons l'attendre avec désir et nous y disposer par la prière : telle est la fidélité de ceux qui veillent en attendant la visite du Maître. Nous obtiendrons la grâce de cette visite dans la mesure où nous accepterons d'en avoir de plus en plus douloureusement besoin, et où nous la demanderons.

C'est dans cette attente et ce désir que résonne déjà la prière de Jésus : « Jésus, Fils de Dieu Sauveur, prends pitié de moi, pécheur », prière qui rythme la vie spirituelle de tout l'Orient chrétien et qui est tout simplement celle du publicain (Lc 18, 9-14), unie à celle de l'aveugle Bartimée (Mc 10, 46-52). Thérèse de Lisieux n'était sûrement pas avertie de cette prière de l'Orient, mais elle en parle à la dernière page des *Manuscrits*, juste avant d'évoquer le texte que nous avons cité plus haut où elle dit que si elle avait commis tous les péchés, elle irait se jeter aux pieds de Jésus le cœur brisé de repentir. C'est alors qu'elle écrit : « Ce n'est pas à la première place mais à la dernière que je m'élance : au lieu de m'avancer avec le pharisien, je répète, remplie de confiance, l'humble prière du publicain ; mais surtout, j'imite la conduite de Madeleine, son étonnante ou plutôt son amoureuse audace qui charme le cœur de Jésus » (M.A., p. 313).

Seule la prière exprime vraiment le fond du cœur de quelqu'un : la prière du pharisien l'élève devant Dieu, faisant valoir ses propres mérites. Par ce fait même, une telle prière tire comme un rideau entre l'homme et son Dieu. Au contraire, le miracle du publicain, c'est qu'il voit son péché et qu'il l'accepte sans le dissimuler derrière des œuvres extérieures et, en même temps, il consent à perdre la face devant Dieu, devant lui-même et aux yeux du pharisien. Au fond, il n'a pas peur de Dieu, ni d'étaler sa misère devant la miséricorde.

Une seule prière demeure alors possible : celle qui jaillit *de profundis*, du plus profond de notre misère. Il n'y a qu'un seul dénuement vrai, celui du péché. Il n'y a qu'une pauvreté sans illusion et sans amertume, celle de ne pas être assez pauvre. Enfin, il n'y a qu'une seule merveille de Dieu dans le cœur de l'homme : que celui-ci voit son péché, sans jamais désespérer de la miséricorde. Heureux l'homme qui peut découvrir son péché, le mettre à nu sous le regard de Jésus et proclamer la miséricorde du Père afin que puisse déferler sur lui le torrent de la douceur infinie : *Mon Dieu, prends pitié du pécheur que je suis* (Lc 18, 14). Cet homme-là est bienheureux parce que le Royaume de Dieu s'est approché de lui et l'a envahi jusqu'au plus profond de son cœur. Il peut dire, comme le bon larron, qu'il est dans le Royaume et que le Royaume est en lui. Nos deux maîtres à prier dans l'Évangile demeurent toujours le publicain et le bon larron car ils prononcent la seule prière agréée par le Père et par Jésus. Nous ne prierons jamais mieux que ces deux hommes, à moins d'être la Vierge Marie.

6. LA PRIÈRE DE JÉSUS

Rappelons les quelques particularités concrètes de la prière de Jésus : elle est courte, elle est destinée à être répétée fréquemment, elle s'adresse à Jésus Christ pour lui donner divers titres, elle implore sa miséricorde et elle nomme le priant pécheur. C'est une activité cachée ; surtout, elle est un moyen pour arriver au but de toute vie intérieure : l'union à Dieu par la prière continuelle. Le Père Irénée Hausherr ajoute que cette dernière particularité donne leur sens à toutes les autres. Au fond, c'est une prière très simple qui est à la portée des pauvres et des petits, et qui, pratiquement, n'exige pas de grands efforts puisqu'on peut la dire aussi bien en marchant qu'en travaillant et en se reposant. Et cependant, il faut reconnaître que peu de chrétiens la pratiquent avec assiduité et persévérance, au point d'être amenés à la prière continuelle.

Même ceux qui s'y adonnent un peu ne comprennent pas toujours que la prière de Jésus exige de notre part une conversion continue. Un jeune qui avait lu mon livre *La Prière du cœur* et commençait à s'y adonner m'a un jour écrit : « J'ai quand même eu le temps de comprendre que cette prière est une grâce du Seigneur et non pas un « truc » pour être dans la prière perpétuelle. J'ai relu Luc 22, 61-62 (le regard foudroyant de Jésus sur Pierre) et je crois que cette prière a commencé de passer de ma tête dans mon cœur (mais c'est loin d'être fini). » Ce même jeune me disait combien il était frappé de voir que ceux qui pratiquaient la prière de Jésus « étaient dans une prière et une joie perpétuelles ». La joie est peut-être le signe le plus sûr qu'un chrétien peut s'adonner sans réserve à la prière de Jésus.

Pourquoi y a-t-il si peu d'hommes de prière incessante ? Ne serait-ce pas à cause d'un certain refus plus ou moins conscient de nous reconnaître pécheurs et d'avoir besoin d'un Sauveur, en appelant Jésus à notre aide ? *Ce ne sont pas les bien portants qui ont besoin du médecin, mais les malades ; je ne suis pas venu pour les justes, mais pour les pécheurs* (Lc 5, 32). Je ne crois pas que ce sont les détails techniques qui nous empêchent d'adopter cette prière.

Bien au-delà de cette bataille pratique et technique, il y a une bataille plus profonde et mystérieuse qui est le refus de s'avouer pécheur et d'avoir besoin d'un Sauveur. Toute vraie prière jaillit d'une situation de détresse. Si je prie Jésus, c'est parce que j'ai besoin de lui et que sans lui je ne puis rien faire. *Il n'y a sous le ciel aucun autre Nom donné aux hommes, hors duquel nous puissions être sauvés* (Ac 4, 12). Beaucoup de gens veulent être aidés, encouragés, stimulés mais ils ne voient pas qu'ils ont besoin d'être sauvés. Bien souvent, ils acceptent le secours du Christ pour achever leur route avec lui, mais ils n'acceptent pas d'avoir besoin de lui au commencement. Jésus n'est pas seulement le but, mais il est *le Chemin, la Vérité et la Vie* (Jn 14, 6) et hors de lui, on ne peut rien faire (Jn 15, 5). Celui qui n'est pas convaincu de cela ne peut pas devenir un homme de prière incessante. Même s'il commence à pratiquer la prière de Jésus avec le désir de s'y tenir parce qu'il est attiré par la prière, un jour, il l'abandonnera pour la raison très simple que c'est trop onéreux et trop coûteux de s'avouer sans cesse pécheur.

S'il s'agit d'une prière vraie, c'est-à-dire qui ne cesse jamais et ne se décourage pas, celui qui la pratique ne pourra pas faire l'économie de confesser qu'il est suspendu à la miséricorde de Dieu. Et sa prière se confondra à la longue avec cette attente humble, patiente, parfois vacillante de la pauvre veuve dont parle Jésus (Lc 18, 1) qui revient sans cesse « casser la tête du juge inique ». Elle n'a plus d'autre solution de rechange que sa pauvre prière, elle n'a plus rien à perdre, mais elle a tout à gagner par sa prière, dans laquelle elle met tout le poids de sa détresse. C'est pourquoi une telle prière, fait remarquer Jésus, ne peut manquer d'être exaucée.

Comme la veuve importune, savons-nous mettre le prix quand nous adressons au Père une telle prière ? Lorsque nous disons à Dieu notre détresse fondamentale d'être un pécheur qui crie et implore sa grâce, lorsque nous exposons à Dieu la grande blessure du monde et des frères que nous côtoyons chaque jour, enfin lorsque nous faisons nôtre la prière de Jésus pour l'accomplissement et la venue du Règne de Dieu, savons-nous durer dans la prière comme la veuve importune, savons-nous surtout crier vers le Père comme le publicain et le larron pécheurs ?

Demandons-nous enfin pourquoi le Père ne peut manquer d'exaucer une prière aussi humble et aussi persévérante. Jésus dit que cette prière ne peut manquer d'être exaucée, même s'il s'agit d'un juge sans conscience qui ne craint ni Dieu ni les hommes, et d'une pauvre veuve qui joue son « va-tout » dans la prière. Le juge va lui rendre justice pour avoir la paix. A plus forte raison, continue Jésus, *Dieu ne fera-t-il pas justice à ses élus, qui crient vers lui jour et nuit ? Est-ce qu'il les fait attendre ? Je vous le déclare sans tarder, il leur fera justice* (Lc 18, 7-8). Voilà la raison ultime pour laquelle une telle prière est toujours exaucée.

Lorsqu'un homme crie vers Dieu sa détresse inlassablement, jour et nuit, sa prière en vient jusqu'à lutter avec Dieu, comme Jacob, toute une nuit, luttait avec l'ange. Dieu aime ce combat de l'homme avec lui dans la prière. Parce qu'il veut l'exaucer, il le pousse jusque dans ses retranchements ultimes et le blesse à la hanche. C'est dans la blessure de cette faiblesse qu'il va manifester sa puissance (2 Co 12, 10) (TOB note a, p. 543. Il y a un jeu de mots, le même terme signifiant faiblesse et maladie. On peut comprendre : mon miracle s'accomplit dans la maladie). Dieu attend cette lutte de l'homme avec lui, cet affrontement entre la pauvreté et sa grâce, parce qu'il désire ardemment se laisser vaincre par la prière de l'homme.

Un grand échange d'amour s'accomplit lorsqu'un homme crie sa détresse devant Dieu. Et non seulement la sienne, personnelle, mais encore la grande détresse du monde dans les douleurs de son enfantement à la vie de Dieu. Dans ce souffle de l'homme et de l'univers, le Père voit une autre prière, il voit la grande détresse de son Fils Jésus au jardin de Gethsémani et il entend la supplication qu'une nuit tout entière il fait monter vers le Père. L'auteur de l'épître aux Hébreux dit que la prière du Fils a été exaucée en raison de son obéissance. C'est par cette prière de Jésus à l'Agonie que nous avons commencé notre méditation sur le *Notre Père*, avant de parler de la prière de l'Esprit Saint en nous et de la prière de Marie.

Aujourd'hui, Jésus continue à intercéder dans la gloire, mais il a voulu que son Esprit soit donné à l'Église et à chaque croyant pour continuer ici-bas au cœur de l'homme et du monde sa grande intercession. Lorsqu'un homme crie sa détresse à Dieu, c'est l'Esprit Saint, le souffle de Dieu lui-même, qui s'empare du souffle des hommes et, en même temps, vient l'exaucer. La pauvre veuve qui prie le juge inique, c'est l'Église qui prie pour l'instauration du Règne, c'est la Vierge qui intercède pour la conversion des pécheurs, c'est partout dans le monde où il y a des hommes et des femmes qui s'usent et se consument, jour et nuit, à crier vers Dieu pour qu'il fasse justice aux hommes. Et nous sommes sûrs qu'il exauce notre prière. Le seul danger que nous courions, c'est qu'au retour du Fils de l'homme, il ne trouve plus la foi sur terre. C'est peut-être ce don de la foi que nous pouvons demander dans notre prière incessante : « Dieu ne s'y trompe pas car le souffle du monde qu'il ausculte dans un cœur qui prie, c'est son Esprit qu'il a insufflé à sa créature et qui maintenant respire et gémit dans les cœurs. Dans la prière, deux respirations et deux souffles coïncident comme dans un baiser. Le souffle du monde et le souffle de Dieu, dans l'Esprit Saint. Une telle prière, comment pourrait-elle cesser puisque l'Amour ne cesse jamais. Et la persévérance dans la prière, comment pourrait-elle ne pas être exaucée puisqu'elle exprime le lien d'amour entre Dieu et les hommes. Et dans la lutte de la prière, Dieu, comment pourrait-il ne pas se laisser vaincre, puisque celui qui se laisse vaincre par l'amour, c'est celui qui est le plus fort. C'est parce que la prière est à la mesure d'un tel amour que Dieu autant que l'homme la désire et en a vraiment besoin » (*Seul l'Amour suffirait.* André Louf. Commentaires d'Évangile pour l'année C. 1982, p. 197).

6

LA PORTE DU ROYAUME

Poursuivant notre méditation sur l'instauration du Règne, peut-être nous serait-il profitable de nous remémorer une autre traduction de la seconde demande du *Notre Père*, à propos du Règne : « Fais venir ton Esprit Saint sur nous et qu'il nous purifie ». Nous ajoutions cette prière : « Qu'il nous purifie par la pénitence et qu'il fasse de nous une vivante offrande qui te soit agréable. » Alors nous connaîtrons la joie d'une vie nouvelle et nous louerons sans cesse ton nom saint et miséricordieux.

Il faudrait aussi reprendre la parole de Pierre dans le grand discours qu'il adresse aux Juifs le jour de la Pentecôte – cette parole est le fil directeur de toute notre méditation sur la Conversion et le Règne. Les Juifs lui demandent : *Que devons-nous faire ?* (Ac 2, 37). Sa réponse est précise : il les invite à la conversion, au baptême et à la foi en Jésus ressuscité ; alors ils recevront l'Esprit Saint. Il faut donc commencer par se convertir, c'est-à-dire se décentrer de soi-même, en découvrant que Dieu nous aime le premier et tourne autour de nous pour mendier notre amour. Nous pensons si souvent le contraire en croyant que nous aimons Dieu le premier et le prions. Se décentrer de soi, c'est croire à l'amour de Dieu pour nous et c'est une véritable révolution copernicienne. Ensuite, il faut s'attacher à Jésus Christ, non pas uniquement comme modèle et maître à penser, mais comme sauveur, et alors nous recevrons l'Esprit Saint.

Nous avons longuement parlé de la conversion, de la rencontre du Christ comme Sauveur, qui n'est jamais réalisée une fois pour toutes, même si le baptême est définitif et opère en nous une transformation de l'être qui fait de nous des temples de la Trinité Sainte. C'est chaque jour que nous devons *connaître le Christ avec la puissance de sa résurrection et la communion à ses souffrances* (Ph 3, 10), comme la Vie de notre vie. Nous ne dirons jamais assez qu'un disciple du Christ n'est pas seulement celui qui vit les exigences de l'Évangile, mais d'abord celui qui a rencontré le Christ, vit uni à lui et donc le prie, en sachant qu'il est présent dans son cœur, comme le dit la lettre aux Éphésiens : *Que le Père fasse habiter le Christ en vos cœurs par la foi* (Ep 3, 17).

C'est alors que nous pouvons recevoir l'Esprit Saint. Mais il ne faudrait pas trop le mettre au terme de ce cheminement de conversion, après ces trois moments successifs, comme si le Saint-Esprit ne venait en nous qu'après la conversion et le baptême au nom de Jésus. Il est déjà à l'œuvre dans le mouvement de conversion et aussi pour nous faire invoquer le nom de Jésus, puisque personne ne dit *Jésus est Seigneur* s'il n'est sous l'action de l'Esprit Saint. Celui-ci prend pleinement possession de notre cœur le jour où nous avons été baptisés dans la mort et la résurrection de Jésus et il fait de nous des demeures de la Trinité Sainte. Quand un homme se convertit et adhère à Jésus comme Sauveur, on peut dire que le Règne de Dieu est advenu en lui. C'est alors que se réalise pleinement la prière du Christ dans la deuxième demande du *Pater* : « Que ton Règne vienne ! »

Regardons de plus près comment les choses se passent, non pas à l'intérieur du processus de conversion – nous avons tenté de l'analyser précédemment – mais avant que la conversion ne s'opère, c'est-à-dire au moment où Juifs et païens sont mis en présence de signes et de prodiges qui les impressionnent. Ils ne sont pas encore bouleversés et n'ont pas le cœur transpercé, cela viendra après, quand ils seront mis en présence de la croix et comprendront qu'ils ont été capables de mettre à mort l'Envoyé de Dieu. Pour le moment, ils sont stupéfaits de voir se passer sous leurs yeux de grands prodiges, comme les gens de l'Évangile accouraient vers Jésus pour le toucher et se faire guérir, car une force sortait de lui qui rendait la santé aux malades : *Il en avait tant guéri que tous ceux qui étaient frappés de quelque mal se jetaient sur lui pour le toucher* (Mc 3, 10).

1. GUÉRI PAR LE NOM DE JÉSUS

Aujourd'hui, il est très important de réfléchir à cela, surtout au moment où le Pape appelle l'Europe à une seconde évangélisation, et de voir comment les choses se sont passées au moment de la première évangélisation. Il ne suffit pas de dire : « Le Règne est venu jusqu'à nous… Le Christ est ressuscité… Convertissez-vous. » Il y a bien sûr une force et une énergie extraordinaires qui sont capables de convertir les cœurs : c'est la puissance de Dieu, sur laquelle nous allons revenir. Mais il faut aussi que notre parole s'accompagne de signes qui l'accréditent et l'authentifient auprès des auditeurs. C'est peut-être ce qui attire le plus aujourd'hui dans les mouvements de Renouveau, même en dehors du catholicisme (je pense ici aux églises évangéliques et pentecôtistes). Ces mouvements ne se contentent pas de dire que le Christ est ressuscité, en invitant leurs auditeurs à se convertir, en remettant au Christ le fardeau de leurs péchés et de leurs souffrances, ils opèrent des guérisons du corps et surtout du cœur, qui ne laissent aucun doute sur l'action de l'Esprit en eux. Certains diront, après saint Jean Chrysostome, que ces signes étaient nécessaires au début de l'Église pour toucher et convertir le cœur des païens, mais qu'aujourd'hui ils ne le sont plus à cause de la foi plus solide. Je crois que si Jean Chrysostome revenait aujourd'hui et voyait les nouveaux païens auxquels l'Église est envoyée, il penserait que ces signes sont encore plus importants et plus utiles qu'au début de l'Église. Du reste, si l'Esprit suscite à nouveau ces signes dans les groupes de prière et de renouveau, c'est bien parce qu'ils sont indispensables pour la « seconde évangélisation ». Gageons qu'ils seraient encore plus nombreux et plus puissants si le Christ ressuscité trouvait plus de foi chez les croyants.

Devant cette forteresse de glace qu'est le monde, non seulement incroyant, mais encore plus indifférent et hostile, il faut une parole de feu et les brèches incandescentes que sont les miracles pour que se réalise la parole du Christ : *C'est un feu que je suis venu jeter sur la terre et comme je voudrais qu'il soit déjà allumé* (Lc 12, 49). Pour que le feu prenne au cœur du monde et que la banquise se dégèle, il faut vraiment que la puissance vienne de Dieu pour opérer des brèches et transformer le cœur des hommes de l'intérieur.

Lorsque nous disons dans notre prière : « Que ton Règne vienne », nous devrions être comme Pierre et Jean quand ils prient pour les Samaritains. Ceux-ci ont entendu Philippe parler avec puissance, ils ont vu les signes qu'il accomplissait : *Des esprits mauvais quittent les possédés, des paralysés et des infirmes sont guéris. Et il y eut dans cette ville une grande joie* (Ac 8, 7-8). Ces hommes reconnaissent que Philippe est habité par la puissance de Dieu. Mais il ne suffit pas d'avoir vu ces signes et ces miracles, il faut encore recevoir l'Esprit Saint, après avoir accueilli la Parole de Dieu. C'est pourquoi on envoie de Jérusalem Pierre et Jean : *A leur arrivée, ceux-ci prièrent pour les Samaritains afin qu'ils reçoivent le Saint-Esprit ; en effet, l'Esprit n'était encore venu sur aucun d'entre eux : ils étaient seulement baptisés au nom du Seigneur Jésus. Alors Pierre et Jean leur imposèrent les mains, et ils reçurent le Saint-Esprit* (Ac 8, 15-17). Pour que l'Esprit fonde sur eux et les transforme, il faut une prière des apôtres et une imposition des mains. C'est ce qui se passe dans l'épiclèse, aussi bien dans l'Eucharistie que dans le sacrement de réconciliation. Le prêtre n'agit pas de lui-même, mais il demande à l'Esprit de venir sur les dons et sur le peuple afin d'opérer l'œuvre de la sanctification.

Nous touchons du doigt ici le rôle de la prière dans la venue du Règne. Dire : *Que ton Règne vienne*, c'est demander au Père d'envoyer son Esprit Saint sur ceux qui ont été témoins des merveilles de Dieu opérées par ce même Esprit.

L'imposition des mains par les apôtres réalise cette effusion de l'Esprit et confirme sa présence et son action dans le peuple. Les apôtres prient comme Jésus a prié son Père d'envoyer l'Esprit Saint sur ses disciples : *Et moi, je prierai le Père : il vous donnera un autre Paraclet qui restera avec vous pour toujours. C'est lui l'Esprit de vérité que le monde est incapable d'accueillir parce qu'il ne le voit pas et qu'il ne le connaît pas. Vous, vous le connaissez, car il demeure auprès de vous et il est en vous* (Jn 14, 16-17). Si Jésus a prié le Père d'envoyer l'Esprit aux disciples, si les apôtres ont prié en faisant la même demande, l'Église ne peut que poursuivre et intensifier cette prière, sachant qu'elle peut réaliser des œuvres plus grandes que celle de son Maître, si elle croit. Et c'est pourquoi elle s'unit à la prière de la Vierge Marie au Cénacle.

Il faut insister sur ces signes opérés par les apôtres, tels que la guérison du boiteux de la Belle Porte, ou les autres guérisons opérées par Paul, Barnabé et Philippe, sans parler des autres signes. L'auteur des Actes dit qu'il suffisait d'appliquer sur les malades des linges touchés par les apôtres pour qu'ils soient guéris ou encore, qu'ils soient mis dans l'ombre de Pierre pour retrouver la santé ou encore : *Dieu accomplissait par les mains de Paul des miracles peu banals, à tel point qu'on prenait, pour les appliquer aux malades, des mouchoirs ou des linges qui avaient touché sa peau* (Ac 19, 11-12).

Au fond, quand les apôtres guérissent les malades, ils ne font que poursuivre l'action salvatrice du Christ lorsqu'il était sur terre. Il suffisait de le toucher par la foi pour qu'une force sorte de lui et guérisse le malade. On pense naturellement ici à tous les thaumaturges qui ont opéré ces signes rien qu'en invoquant le nom de Jésus. Rappelons simplement le texte des Actes qui est comme un sommaire résumant toute l'activité de guérison des apôtres : *Beaucoup de signes et de prodiges s'accomplissaient dans le peuple, par la main des apôtres. Ils se tenaient tous unanimes, sous le portique de Salomon, mais personne d'autre n'osait s'agréger à eux ; le peuple faisait pourtant leur éloge, et des multitudes de plus en plus nombreuses d'hommes et de femmes se ralliaient par la foi au Seigneur. On en venait à sortir les malades dans les rues, on les plaçait sur des lits ou des civières, afin que Pierre, au passage, touche au moins l'un ou l'autre de son ombre. La multitude accourait aussi des localités voisines de Jérusalem, portant des malades et des gens que tourmentaient des esprits impurs, et tous étaient guéris* (Act 5, 12-16).

Il faut bien comprendre dans quel contexte l'auteur des Actes évoque ces miracles des apôtres. Pour lui, l'essentiel n'est pas d'insister sur le côté merveilleux ou spectaculaire de ces gestes, mais sur ce qu'ils signifient en profondeur. En ce sens, il vaudrait mieux parler de signes (*semeïa*, en grec) au sens où Jean évoque les miracles de Jésus : cela nous éviterait une certaine *aura* magique qui enveloppe les miracles (tentation actuelle de certains mouvements de renouveau fondamentalistes). Le miracle est signe de la foi et, en même temps, il produit la foi. Comme Séraphim de Sarov guérissant le laïc Motovilov, lui disait simplement : « Crois et tu seras guéri. » A aucun moment le pouvoir de guérir n'est quelque chose de magique venant du thaumaturge.

L'essentiel de ces signes et prodiges, comme des différentes apparitions, n'est pas tellement le côté spectaculaire, qui peut souvent être expliqué ou, ce qui est plus grave, être l'objet d'une illusion – il y a beaucoup de gué- risseurs qui agissent sans faire appel au Christ –, ce qui est important, c'est qu'il est signe d'autre chose, c'est-à-dire de la foi au Christ ressuscité. L'auteur du quatrième évan- gile le dit clairement : *Jésus a opéré sous les yeux de ses disciples bien d'autres signes qui ne sont pas consignés dans ce livre. Ceux-ci l'ont été pour que vous croyiez que Jésus est le Christ, le Fils de Dieu, et pour que, en croyant, vous ayez la vie en son nom* (Jn 20, 30-31).

En d'autres termes, bien d'autres hommes ont pu faire ces signes – pensons au magicien des Actes – et, pour les auditeurs, être témoins de ces miracles, cela ne suffisait pas du tout pour donner la foi, s'il n'y avait pas une adhé- sion personnelle du cœur, pour reconnaître la puissance de Dieu agissant à travers le Christ et les apôtres. Bien plus, il peut y avoir un début de la foi à la vue du signe, mais à un moment donné, il faut croire simplement sur la seule parole du Christ. C'est pour cela que tous ceux qui ont eu des apparitions ou qui ont été témoins de miracles n'ont pas été dispensés, une fois que tout a été fini, de vivre dans la foi pure et nue, qui est notre lot commun à tous. Saint Jean le dit clairement : *Tandis que Jésus séjournait à Jérusalem, durant la fête de Pâque, beaucoup crurent en son nom à la vue des signes qu'il opérait. Mais Jésus, lui, ne se fiait pas à eux, car il les connaissait tous, et il n'avait nul besoin qu'on lui rendît témoignage au sujet de l'homme : il savait, quant à lui, ce qu'il y a dans l'homme* (Jn 2, 23-24).

C'est pourquoi ces signes sont ambivalents et, à la limite, ambigus si personne n'en révèle la signification ultime. Ils pourraient même donner le change, en faisant croire que celui qui les opère est doué de certains pouvoirs extraordinaires. Ce n'est même pas sa sainteté qui est à l'origine de ces miracles, même si le Ressuscité utilise des saints pour opérer ces signes, mais ces hommes ne s'aperçoivent même pas qu'ils les font, tellement ils sont humbles et vides d'eux-mêmes, pour la bonne raison qu'ils ne vivent que pour Jésus ressuscité : *Aucun d'entre nous ne vit pour soi-même, et aucun ne meurt pour soi-même : si nous vivons, nous vivons pour le Seigneur ; si nous mourons, nous mourons pour le Seigneur. Dans notre vie comme dans notre mort, nous appartenons au Seigneur. Car, si le Seigneur a connu la mort, puis la vie, c'est pour devenir le Seigneur des morts et des vivants* (Rm 14, 7-9).

Les saints sont même surpris quand on leur dit que leur prière a opéré de tels signes, et ils disent comme Séraphim de Sarov que nous venons d'évoquer : « Crois seulement et tu seras guéri. » Ils sont traversés par une puissance qui les dépasse, comme Jésus éprouvait une vertu qui sortait de lui pour guérir la femme atteinte d'un flux de sang. Pierre s'en expliquera clairement, après la guérison du boiteux de la Belle Porte, au moment où il dit : *Israélites, pourquoi vous étonner de ce qui arrive ? Ou pourquoi nous fixer du regard, nous, comme si c'était par notre puissance ou par notre piété personnelle que nous avons fait marcher cet homme ?* (Ac 3, 12).

Paul et Barnabas seront affrontés à la même méprise lorsqu'ils arriveront à Iconium et à Lystres. Ils guériront un infirme qui avait la foi en la puissance de leur parole. Immédiatement, la foule assimile les apôtres aux dieux descendus vers eux et veut offrir un sacrifice en leur honneur. C'est alors que les apôtres déchirent leurs vêtements. Ils ont cette parole admirable que tous les ministres de Dieu, serviteurs de la Parole, devraient avoir sans cesse sous les yeux, car nous risquons toujours de nous glorifier comme l'âne qui porte des reliques dans la fable de La Fontaine. Ou, si nous ne pouvons pas déchirer nos vêtements comme les apôtres, nous pourrions avoir l'humour du curé d'Ars qui ne se prenait pas au sérieux quand il opérait des miracles. Il se moquait même de son portrait qu'il appelait « son carnaval ». Un de mes amis prêtre avait choisi cette parole de Pierre et de Barnabas pour son image d'ordination : *Oh ! Que faites-vous là ? disaient-ils, nous aussi, nous sommes des hommes soumis aux mêmes misères que vous ! Et nous vous supplions d'abandonner vos vaines idoles (vos sottises) pour vous tourner vers le Dieu vivant qui a créé le ciel, la terre, la mer et tout ce qui s'y trouve* (Ac 14, 15). Même avec ces paroles, les apôtres avaient du mal à les en dissuader.

Après la fuite et le reniement de la Passion, les apôtres et Pierre en particulier savent bien à quoi s'en tenir sur leur sainteté et leur vertu personnelles. Ils ne peuvent pas se prévaloir de leurs mérites, mais il y a autre chose qu'ils ne peuvent pas nier non plus. Depuis la Pentecôte, leur faiblesse a été traversée par une force et une puissance extraordinaires qui viennent du Christ ressuscité. Pierre va s'en expliquer clairement quand les membres du sanhérin vont lui demander de rendre compte de ce miracle : *A quelle puissance ou à quel nom avez-vous eu recours pour faire cela ? Rempli de l'Esprit Saint, Pierre leur dit alors : « Chefs du peuple et anciens, puisque nous sommes aujourd'hui interrogés pour avoir fait du bien à un infirme, de dire par quel moyen cet homme a trouvé la santé. Sachez-le donc, vous tous et tout le peuple d'Israël, c'est par le Nom de Jésus Christ le Nazaréen, crucifié par vous, ressuscité des morts par Dieu, c'est grâce à lui que cet homme se trouve là devant vous, guéri. C'est lui la pierre que vous, les bâtisseurs, aviez mis au rebut et qui est devenue la pierre angulaire. Il n'y a aucun salut ailleurs qu'en lui ; car il n'y a sous le ciel aucun autre nom offert aux hommes qui soit nécessaire à notre salut* » (Ac 4, 7-12).

2. « GRÂCE A LA FOI AU NOM DE JÉSUS »

Désormais, toute la puissance que Dieu a déployée dans la résurrection du Christ va se concentrer dans le saint Nom de Jésus : c'est lui qui va tenir lieu (lieutenant) de la personne même du Christ, c'est-à-dire de son Corps ressuscité. Du temps du Christ, le miracle s'opérait par le contact physique avec le Corps du Christ (saint Thomas d'Aquin dira que le corps du Christ et « l'instrument conjoint » par lequel opère la divinité, les sacrements étant les « instruments séparés »). Maintenant que le Christ est dans la gloire, c'est en prononçant le nom même de Jésus, dans la puissance de l'Esprit, que la foi va opérer à travers ce nom la guérison du malade, puisque le corps du Christ ne peut plus être localisé dans l'espace et le temps. Prononcer le nom de Jésus, c'est s'unir à lui dans la foi et lui permettre de libérer la puissance de Dieu contenue en lui : *Car en lui habite toute la plénitude de la divinité, corporellement* (Col 2, 9). Pour accueillir cette puissance de Dieu, il faut croire en Jésus et confesser son nom dans la prière : *Tout près de toi est la parole, dans ta bouche et dans ton cœur. Cette parole, c'est la parole de la foi que nous proclamons. Si, de ta bouche, tu confesses que Jésus est Seigneur et si, dans ton cœur, tu crois que Dieu l'a ressuscité des morts, tu seras sauvé... En effet, quiconque invoquera le nom du Seigneur sera sauvé* (Rm 10, 9-13).

Ainsi les apôtres vont prêcher le nom de Jésus et le prononcer sur les malades, les infirmes et les pécheurs afin que ce même nom opère en eux les signes de la résurrection. Quand Pierre interpelle le boiteux de la Belle Porte, il le fait au nom de Jésus : *De l'or ou de l'argent, je n'en ai pas mais ce que j'ai, je te le donne : au Nom de Jésus Christ le Nazaréen, marche* (Ac 3, 6). Il faut bien comprendre la situation de Pierre. Il n'a aucun pouvoir humain, aucun avoir et aucun savoir, dira le sanhédrin, au point qu'il paraît comme un homme quelconque (Ac 4, 13), et cependant il étonne tous ceux qui l'écoutent par son assurance. Sa seule richesse, c'est le Christ ressuscité, mais comme celui-ci est retourné auprès de son Père, la seule réalité qui permet à Pierre de se rattacher à son maître et Seigneur, c'est son Nom. Au fond, il est comme nous aujourd'hui, dans la prière, il n'a rien d'autre que ce Nom. Et en cela, nous rejoignons bien la spiritualité des Hébreux au désert ; constamment revient ce refrain : *Vous n'avez pas vu de visage, vous n'avez pas vu de forme, vous n'avez entendu qu'une voix... et un nom* (Dt 4, 12).

On comprend alors combien Pierre est en même temps riche et pauvre de ce nom. Il n'a que lui pour aller vers les Juifs incrédules et les païens, et il ne peut compter sur rien d'autre que sur la puissance de ce nom pour guérir et évangéliser. C'est de cette expérience de Pierre qu'est née dans l'Église, et plus spécialement dans la vie monastique, la spiritualité du nom et la prière de Jésus. Seuls ceux qui pratiquent cette prière peuvent comprendre ce que nous disons de la richesse et de la pauvreté, de la louange et de l'adoration de Dieu. Il faudrait ajouter la richesse et la pauvreté de la supplication ; en effet, lorsqu'on supplie le Père d'exaucer notre prière, on ne peut le faire qu'au nom de Jésus, parce que c'est en vertu de son passage dans la gloire (de sa Pâque) qu'il assume pleinement son pouvoir de médiation : *Tout ce que vous demanderez au Père en mon nom, je le ferai, de sorte que le Père soit glorifié dans le Fils. Si vous me demandez quelque chose en mon nom, je le ferai* (Jn 14, 13).

C'est sur la puissance de cette parole que Pierre compte pour opérer des signes et c'est sur elle aussi que l'orant s'appuie pour présenter sa requête à Dieu. Apparemment, c'est si peu de chose, un nom. Il y a des jours où l'apôtre et le priant ont l'impression que c'est rester muet, que répéter le nom de Jésus est un exercice vain. Et pourtant, ce nom est bien le sien, celui qu'il a reçu en se faisant obéissant jusqu'à la mort de la croix : *C'est pourquoi Dieu lui a conféré le nom qui est au-dessus de tout nom, afin qu'au nom de Jésus, tout genou fléchisse au ciel et sur la terre et que toute langue confesse que le Seigneur, c'est Jésus Christ, à la gloire de Dieu le Père* (Ph 2, 9-11). On a envie de dire que depuis que le Verbe s'est incarné, Dieu n'a plus d'autre nom que le « petit nom » de Jésus.

Ainsi, l'apôtre s'accroche à ce nom qui résume toute sa prière. Il le répète inlassablement comme l'haleine de son cœur où il livre tout son être. C'est un appel confiant, une prière à Jésus qui peut tout. C'est le mot-échange à travers lequel le salut de Dieu vient à nous. Le nom de Jésus que je garde est le nom qui me sauve : il est le rempart de ma vie. Le nom de Jésus est l'hôte de mon silence intérieur et de ma prière. Quand l'apôtre le prononce, il fait surgir sa présence, son amour et sa fidélité. Quand le nom de Jésus habite notre cœur, il apporte avec lui la certitude d'aimer et d'être aimé et surtout de ce que tout est possible pour l'apôtre.

C'est grâce au nom de Jésus que cet homme se trouve là, devant vous, guéri (Ac 4, 10). Ainsi, le nom de Jésus a le pouvoir de remettre un homme sur pied en le guérissant, mais surtout en faisant de lui un croyant. En effet, il ne suffit pas de prononcer ce nom d'une manière magique, comme certains guérisseurs pouvaient utiliser des formules cabalistiques. Ici, il faut vraiment une démarche de foi en la puissance du nom. Pierre le dit aux Juifs, le jour de la Pentecôte : *Grâce à la foi au nom de Jésus, ce nom vient d'affermir cet homme que vous regardez et que vous connaissez ; et la foi qui vient de Jésus a rendu à cet homme toute sa santé, en votre présence à tous* (Ac 3, 16). Il s'agit bien sûr de la foi en Jésus, c'est-à-dire d'une démarche qui aboutit à la rencontre personnelle du Ressuscité, à travers son nom. Il faut dépasser le stade Jésus Modèle et Maître pour entrer dans la foi et la communion avec Jésus Sauveur qui entre dans notre cœur et nous envoie l'Esprit. Ainsi, la foi ne consiste pas à aimer écouter un beau texte, comme celui de l'Évangile. Saint Thomas dit que l'acte de foi n'aboutit pas à une parole mais à la réalité d'une personne (*Fides... actus fidei terminat ad realitatem ad rem*). C'est la personne qui prononce la parole qui est intéressante, même si elle est invisible. Mais nous savons que la personne du Christ est ressuscitée et vit maintenant en nous. C'est là qu'il faut le chercher pour le trouver, dans une relation mystérieuse, mais très réelle. Dès qu'on l'a trouvé dans la foi et l'amour, c'est-à-dire dans sa présence spirituelle, sa présence a moins d'importance, ou plutôt, elle est le signe d'une autre relation.

Une telle foi, même embryonnaire et imparfaite, est nécessaire à Pierre pour accomplir ce premier miracle, mais c'est Jésus, par la puissance de son nom, qui est le véritable auteur du miracle. Plus profondément encore – nous l'avons dit –, c'est ce nom qui apporte aux hommes le salut dont les miracles ne sont que les signes. Et ce nom équivaut toujours à la personne même de Jésus ressuscité. C'est aussi pour ce nom que souffrent les apôtres : *Les apôtres quittèrent donc le sanhédrin, tout heureux d'avoir été trouvés dignes de subir des outrages pour le Nom* (Ac 5, 41). C'est aussi en ce nom que sont baptisés les croyants (Ac 2, 38).

A propos du nom, une autre expression revient sans cesse dans les Actes où il est parlé de *ceux qui invoquent le nom* (9, 14-21 ; 22, 16). Et surtout le verset 21 du chapitre 2 qui est la réalisation de la prophétie de Jésus au sujet de ceux qui auront reçu l'Esprit : *Quiconque invoquera le nom du Seigneur sera sauvé. Souffrir pour le nom* et *Invoquer le nom* sont deux expressions qui indiquent bien qu'il s'agit d'une personne et non seulement d'une doctrine. C'est l'abîme qui sépare les disciples du Christ (les chrétiens ou les saints) et ceux de Mahomet, de Bouddha ou même de Marx. Pour ces derniers, il s'agit d'étudier la doctrine du maître, de s'en pénétrer pour la mettre en pratique, mais aucun d'entre eux ne dit : « Pour moi, vivre, c'est Mahomet, Bouddha ou Marx. » Ils n'essaient pas d'entrer en contact avec eux puisqu'ils sont morts depuis longtemps. Tandis qu'un disciple du Christ étudie aussi la doctrine de son maître, qui est l'Évangile, mais d'abord pour y trouver son visage, et, à la limite, pour subir le martyre, s'il y est appelé. De même, quand il est seul dans sa chambre, le disciple de Jésus invoque le nom de son Sauveur et si l'Esprit Saint lui en fait la grâce, il se met à dialoguer avec lui dans l'oraison. Pour un chrétien, c'est cela souffrir pour le nom ou invoquer le nom.

Quand on regarde de plus près le texte de Pierre, il semble qu'il faille encore aller plus profond dans ce mouvement de foi. En effet, il dit : *Et la foi qui vient de Jésus a rendu à cet homme toute sa santé, en votre présence à tous* (Ac 3, 16). Il ne s'agit pas seulement d'avoir foi en lui, grâce à lui – « Lui » renvoie bien sûr au nom de Jésus ; la foi qui a guéri l'homme vient elle-même de Jésus. On pense ici naturellement à la guérison de l'hémoroïsse qui a *touché* Jésus : *Ma fille, ta foi t'a sauvée. Va en paix* (Lc 8, 48). C'est pourquoi la foi qui nous fait adhérer à la personne du Christ est bien sûr un mouvement libre et personnel qui n'a pas sa source dans la chair et le sang (Mt 16, 17), mais dans un pur don du Christ lui-même ou du Père. Ainsi, quand nous croyons en Jésus, nous ne faisons que « renvoyer la balle » qui a été envoyée dans notre camp par le Père et nous lui rendons la foi qu'il nous a lui-même donnée. C'est cela, « confesser sa foi » et en même temps « rendre grâce ».

Dans l'ordre de la foi, si tout est grâce, il n'en demeure pas moins vrai que nous pouvons demander cette grâce de la foi. A la limite, il n'est même pas nécessaire d'avoir la foi puisque c'est Dieu qui nous la donne dans la prière il suffit qu'il y ait un doute, un désir et une prière. Alors Dieu répond toujours à ce genre de demande. Quand nous invoquons le nom de Jésus en lui demandant de croire en la puissance de sa résurrection ou de faire grandir notre *peu de foi*, il nous exauce tout de suite. Toute prière faite au nom de Jésus est entendue et exaucée par le Père : *En vérité, je vous le dis, si vous demandez quelque chose à mon Père, en mon nom, il vous le donnera. Jusqu'ici, vous n'avez rien demandé en mon nom : demandez et vous recevrez, afin que votre joie soit parfaite. Ce jour-là, vous demanderez en mon nom, et cependant je ne dis pas que je prierai le Père pour vous, car le Père lui-même vous aime, parce que vous m'avez aimé et que vous avez cru que je suis sorti de Dieu* (Jn 16, 23-24 et 26-27). Dans la mesure où le disciple est étroitement uni au Christ par la foi et l'amour, il participe directement à sa communion avec le Père. C'est dans cette perspective qu'apparaît l'efficacité de la prière au nom de Jésus.

3. « Si tu crois, tu verras des choses plus grandes encore »

L'apôtre sait bien que l'efficacité de sa prière vient essentiellement de la puissance de l'amour du Christ ressuscité pour le Père. L'introït du matin de Pâques met sur les lèvres du Christ cette magnifique prière au Père : « Je suis ressuscité et je suis toujours avec toi. » Le Père ne peut rien refuser à celui qui lui a toujours dit « oui », d'un bout à l'autre de son existence. C'est pourquoi la prière du Christ au Père est toujours exaucée. En lui, la prière s'identifie à l'amour et à la consécration à la volonté du Père. Si toute la force de l'apôtre vient du seul nom de Jésus en qui il opère des miracles, il n'en demeure pas moins vrai qu'il ne suffit pas de prononcer ce nom pour être exaucé. Si celui qui le prononce le fait d'une manière magique, sans avoir la foi en la puissance de ce même nom et sans l'invoquer, il déclenche des effets contraires. Ainsi, lorsqu'il est dit que Paul accomplit des miracles peu banals, des exorcistes juifs veulent l'imiter en prononçant le nom sur ceux qui avaient des esprits mauvais : « *Je vous conjure par ce Jésus que Paul proclame.* » *L'esprit mauvais leur répliqua : «Jésus, je le connais et je sais qui est*

Paul, mais vous qui êtes-vous donc ? » Et l'esprit mauvais prit l'avantage sur eux... Toute la population fut au courant de cette aventure ; la crainte les envahit tous et l'on célébra la grandeur du nom du Seigneur Jésus (Ac 19, 13-17).

On est toujours stupéfait quand on entend le Christ dire à ses apôtres avec solennité : *En vérité, en vérité, je vous le dis, celui qui croit en moi fera lui aussi les œuvres que je fais : il en fera même de plus grandes parce que je vais au Père* (Jn 14, 12). Ainsi le Christ fait dépendre les œuvres et les signes opérés par les apôtres, de la qualité de leur foi et donc de leur prière. Et tout de suite après, sans transition, il affirme que la foi dépend de l'intensité de notre prière : *Tout ce que vous demanderez en mon nom, je le ferai, de sorte que le Père soit glorifié dans le Fils. Si vous me demandez quelque chose en mon nom, je le ferai* (Jn 14, 13-14). On comprend alors que la vraie question pour le Christ n'est pas de savoir si ses apôtres auront de l'éloquence, du savoir-faire ou même du prestige, mais s'il trouvera la foi chez eux quand il reviendra sur la terre (Lc 18, 8). Et cette dernière parole est encore reliée par Jésus à la prière incessante de la veuve importune.

Nous sentons bien que le vrai combat pour l'Église aujourd'hui et surtout pour les évêques, apôtres, prêtres et militants, est le combat de la foi et de la prière. Tout autre problème est un faux combat qui relève de l'idéologie et de la littérature. Nous comprenons aussi que si nous vivions davantage du Christ ressuscité et de la puissance du Saint-Esprit, comme Paul, nous déchaînerions sur notre passage la colère des persécuteurs et les puissances de l'enfer, mais, en retour, nous accomplirions des signes peu banals et nous serions vraiment des témoins du Christ vivant. Au fond, notre grand malheur, c'est de ne pas être des saints, ces hommes de feu remplis de l'Esprit Saint qui doivent être les apôtres des derniers temps, au dire de Grignion de Montfort. Peut-être que nous ne prions pas assez la Vierge et que nous utilisons une grosse part de notre énergie spirituelle et apostolique dans des combats secondaires. Elle seule peut nous apprendre à invoquer le nom de Jésus, comme notre unique Sauveur, car elle a été la première à prononcer son nom avec foi et en vérité, alors qu'elle n'avait pas encore vu son visage : *Tu lui donneras le nom de Jésus* (Lc 1, 31). Et Matthieu ajoute : *Tu lui donneras le nom de Jésus car c'est lui qui sauvera son peuple de ses péchés* (Mt 1, 21). Sous le ciel, il n'y a aucun autre nom par lequel nous puissions être sauvés (Ac 4, 12).

Quand nous affirmons de telles choses sur la puissance de Dieu, et par voie de conséquence, sur la foi et la prière, il y a toujours un scrupule qui nous traverse et nous fait dire : « Mais il ne suffit pas de croire et de prier, il y a autre chose à faire. » Il est clair que la puissance de Dieu agit à travers notre action et notre parole, mais en pensant cela, nous mettons en concurrence l'action de Dieu et la nôtre et finalement, nous en venons à penser que Dieu ne peut rien sans nous. Au fond, nous avons un doute sur la puissance de Dieu et nous pensons qu'il a bien de la chance de nous avoir et que, sans nous, il ne pourrait rien. Nous ne sommes pas convaincus qu'il fait tout : *Sans moi, vous ne pouvez rien faire* (Jn 15, 5). Le jour où nous croirons que Dieu peut tout et que tout vient de lui, comme le dit l'Écriture : *Béni soit le Père plein de tendresse..., le Dieu de qui vient tout don parfait* (2 Co 1, 5), alors nous comprendrons la puissance de la foi et de la prière qui nous inviteront à agir davantage, en laissant la puissance de Dieu soulever notre propre faiblesse.

Au fond, ce qui nous manque, c'est d'avoir rencontré une bonne fois le Christ ressuscité sur le chemin de Damas : Paul a pris sur lui de nous raconter cette première rencontre, mais ce n'est pas seulement une fois qu'il a été saisi par le Christ ressuscité, c'est pratiquement toute sa vie qui a été bouleversée par le face-à-face de Damas. L'apparition sur le chemin est la seule que les Actes et les Épîtres racontent en détail, mais à partir de ce moment-là, Paul n'a pratiquement plus cessé d'avoir affaire au Christ ou à l'Esprit Saint, ce qui revient au même puisque l'Esprit tient lieu de la présence du Christ après la glorification de l'Ascension.

Désormais, c'est une « vie à deux » que Paul doit mener avec l'Esprit Saint (*l'Esprit et moi avons décidé*). Les relations seront parfois orageuses et tumultueuses au point que Paul dira : *Maintenant, prisonnier de l'Esprit, me voici en route pour Jérusalem ; je ne sais quel y sera mon sort, mais en tout cas, l'Esprit Saint me l'atteste, de ville en ville, chaînes et détresses m'attendent* (Ac 20, 22-23). C'est ce qui explique la puissance de conviction qui agit à travers cet homme chétif et malade, qui n'en impose pas apparemment, mais qui secoue toutes les Églises de Dieu par la force de sa parole et la vigueur de son action. Nous verrons plus loin ce que c'est que cette puissance de Dieu, mais avant de la comprendre et de la définir, il faut la sentir et la voir à l'œuvre. C'est comme pour l'existence de Dieu, il faut partir de la « constatation » de l'être et des premiers principes pour remonter à leur cause.

Si vous n'avez jamais perçu la puissance de Dieu à l'œuvre aujourd'hui dans le monde – et cela n'est possible que si vous priez intensément pour voir et entendre –, vous ne comprendrez jamais cette puissance de Dieu à l'œuvre dans les Actes. Pour s'en convaincre, il suffit de lire un témoignage comme celui de Mgr Boslas Sloskans (son journal s'intitule *Témoin de Dieu chez les sans-dieu*, éd. Aide à l'Église en détresse), emprisonné en Sibérie dans l'archipel du Goulag. En dehors d'une puissance venant de l'Esprit Saint, on ne comprend pas comment cet homme a pu supporter la faim, le froid, les tortures, sans parler de la solitude et de l'absence de toute aide humaine et spirituelle. Dans un autre secteur, le cardinal Sim, archevêque de Manille, disait que ce qui était venu à bout de la dictature de Marcos, ce n'était pas la guérilla révolutionnaire et marxiste, mais ces foules d'hommes et de femmes descendues dans la rue avec des croix, des statues de la Vierge et le chapelet, manifestant sans violence, mais uniquement par la force de la prière et de l'amour.

Il n'est pas nécessaire d'aller chercher si loin. Chacun peut découvrir dans sa propre vie des situations limites où l'Esprit a suppléé à ses propres forces pour l'aider à agir et à parler, comme dit le Christ à propos de la persécution : *Lorsqu'on vous amènera devant les synagogues, les chefs et les autorités, ne vous inquiétez pas de savoir comment vous défendre et que dire. Car le Saint-Esprit vous enseignera à l'heure même ce qu'il faut dire* (Lc 12, 11). Une telle expérience n'est possible qu'à ceux qui ne peuvent plus compter sur leurs propres forces, mais se confient uniquement à la puissance de l'Esprit Saint.

Ceux qui ont aujourd'hui expérimenté la puissance de Dieu à l'œuvre dans des hommes tel Mgr Roméro, ou des femmes, comme Mère Térésa, savent que le Christ est ressuscité et qu'il est bien vivant. Pour reconnaître un vivant, il faut le voir vivre avant de lire ses paroles ou ce qu'on dit de lui. Pour voir la puissance de Dieu, il faut la reconnaître à l'œuvre dans les saints. Quand la rencontre s'est faite, il suffit de lire les épîtres de Paul pour éprouver ce feu, cette vie, cette puissance et cet oxygène. Avant de comprendre le détail et de suivre ses conseils, il faut d'abord et surtout sentir cela. Sinon, ce n'est pas la peine de chercher à comprendre le détail pour savoir ce qu'il faut faire, dire ou penser. Si on le sent, c'est presque suffisant : *Je suis venu jeter un feu sur la terre et qu'est-ce que je désire, si ce n'est qu'il s'allume ?*

Ce qui est dit là pour l'agir apostolique vaut encore plus pour la morale et le renoncement évangélique : la seule force de la volonté est incapable d'observer la loi des Béatitudes et du renoncement, seule la puissance de l'Esprit de Pentecôte peut nous faire réaliser l'impossible : *Ce qui est impossible aux hommes est possible à Dieu* (Mt 19, 26). Tout dépend de notre foi et de notre confiance en la puissance de l'Esprit et donc de notre prière. Il y a bien un combat, mais pas celui de la lutte à laquelle nous songeons ; le vrai combat est celui de la prière pour demander à Dieu de nous faire avancer dans le chemin de l'impossible, là où la route est humainement bloquée.

On peut dire les choses d'une autre manière en utilisant le symbole du feu employé par le Christ. Si le feu de l'Esprit Saint ne brûle pas dans votre cœur et votre corps, vous serez brûlés par le feu de vos passions et vous serez incapables d'aimer le Christ en renonçant à vous-mêmes et de porter votre croix. Et ce feu qui brûle et détruit nos péchés est aussi une eau vive qui rafraîchit et désaltère. Ces symboles du feu et de l'eau sont utilisés par Thérèse d'Avila pour désigner l'oraison de quiétude. Comme l'écrit Didyme d'Alexandrie : « Le corps humain est en effet pareil au vase fait par le potier, il a donc besoin d'être purifié par l'eau ; ensuite d'être rendu solide par un feu spirituel qui lui donne sa perfection (car notre Dieu est un feu dévorant). C'est ainsi qu'il a besoin d'être achevé et renouvelé par le Saint-Esprit. Car le feu spirituel est aussi capable de nous baigner, et l'eau spirituelle capable de nous refondre[1]. »

Si avant toute chose et sans rien y comprendre, vous ne sentez pas à l'évidence que c'est ce feu qui coule dans les épîtres de Paul, il est inutile de vous fatiguer pour en avoir l'intelligence. Il en va de même pour l'Évangile. Si Jésus Christ n'est pas pour vous une personne vivante, un visage avec des yeux qui croisent les vôtres, en un mot, s'il n'est pas devenu, dans la prière et l'amour des frères, la Vie de votre vie, je doute fort que vous puissiez comprendre l'Évangile et encore moins le mettre en pratique et réaliser les Béatitudes. Nous ne pouvons pas comprendre non plus ce qu'est la puissance de Dieu. Là encore, les vraies questions ne peuvent être posées que par ceux qui ont cette évidence, les autres n'ont pas encore les oreilles nécessaires pour entendre ni des yeux pour voir. Qu'ils attendent et qu'ils prient pour les recevoir.

Ainsi, la puissance de Dieu est une réalité à expérimenter avant d'être un objet d'étude pour l'exégèse. Quand le Père Kolbe est entré dans le bunker d'Auschwitz, les condamnés qui hurlaient de faim et de soif ont soudain été mis en présence d'un homme habité par l'Esprit Saint et les bourreaux ont affirmé que ces malheureux avaient été transformés par la présence du Père Maximilien Kolbe, au point qu'ils chantaient des cantiques dans cette cellule et que leur regard était

---

1. Didyme d'Alexandrie, *Traité sur la Trinité*, *PG* 39, pp. 668-773.

insupportable pour leurs geôliers, tellement il était plein de douceur et de miséricorde. Il paraît que le Père leur faisait des instructions sur les relations de l'Immaculée avec chacune des Personnes de la Sainte Trinité, mais ces paroles ne pouvaient être reçues et comprises que parce qu'ils avaient vu à l'œuvre la puissance de l'Esprit Saint.

Certains penseront qu'avec de l'héroïsme ou de la bonne volonté, le Père Kolbe a pu offrir sa vie pour un autre. Mais ce n'est pas « la bonne musique » de penser que la volonté seule est capable de transformer des hommes et de leur donner la joie, en marchant vers la mort. Il y a eu autre chose : l'Esprit de Pentecôte est tombé sur eux parce que le Père Kolbe était un fou de la Vierge et qu'il obtenait, par son intercession, tout ce qu'il voulait. Là encore, c'est la puissance de Dieu à l'œuvre à travers de pauvres hommes. Si l'Esprit Saint tombait sur nous avec cette puissance, nous pourrions réaliser de telles œuvres et même de plus grandes encore.

4. « Vous avez cru en la force de Dieu qui a ressuscité le Christ » (Col 2, 12)

On peut essayer maintenant d'approcher ce mystère de « la Puissance de Dieu » telle qu'on la voit à l'œuvre dans les Actes et telle que Paul en parle dans ses épîtres. Il y a comme un leitmotiv qui revient sans cesse dans les capitules et les répons des offices du temps de Pâques : *Dans le corps du Christ habite la plénitude de la divinité. En lui, vous avez tout reçu en plénitude. Par le baptême, vous avez été mis au tombeau avec lui ; avec lui, vous avez été ressuscité, parce que vous avez cru en la force de Dieu qui a ressuscité le Christ d'entre les morts* (Col 2, 9-12). *L'Évangile est une puissance de Dieu pour le salut de quiconque croit* (Rm 1, 16). *Les grands prêtres demandent à Pierre et à Jean : « A quelle puissance ou à quel nom avez-vous eu recours pour faire cela ? »* (Ac 4, 7). *Le nom de Jésus est le seul qui puisse nous sauver* (Ac 4, 12). « *Si, par le baptême dans la mort, nous avons été mis au tombeau avec le Christ, c'est pour que nous menions une vie nouvelle, nous aussi, de même que le Christ, par la toute-puissance du Père, est ressuscité d'entre les morts* » (Rm 6, 4).

Mais ce n'est pas seulement à propos de la résurrection que Paul évoque la puissance de Dieu, il le fait aussi à propos de la proclamation de l'Évangile et il l'affirme à plusieurs reprises. Il y a dans les paroles de l'Évangile un ferment de puissance qui est capable de transformer et de convertir les cœurs. Quand Paul parle de la proclamation de l'Évangile, il ne pense pas seulement à une parole ou à la sagesse d'un discours, mais à une force qui traverse ses paroles et les rend efficaces dans le cœur de celui qui les reçoit. On pense au courant électrique qui passe à travers les fils conducteurs et donne lumière, force et chaleur. Ainsi la puissance de l'Esprit Saint passe à travers les mots de l'Évangile et du prédicateur et en fait des paroles qui touchent le cœur des auditeurs.

A plusieurs reprises, Paul évoque cette puissance de l'Évangile : *Aussi ai-je été devant vous faible, craintif et tout tremblant, ma parole et ma prédication n'avaient rien des discours persuasifs de la sagesse, mais elles étaient une démonstration faite par la puissance de l'Esprit, afin que votre foi ne soit pas fondée sur la sagesse des hommes, mais sur la puissance de Dieu* (1 Co 2, 3-4).

Quand Paul parle d'une manifestation de l'Esprit, il faut sans doute voir, non des miracles – le chapitre 18 des Actes qui parle de la fondation de l'Église de Corinthe n'en mentionne pas – mais plutôt l'activité de l'Esprit chez Paul et chez les convertis de cette ville. C'est à ce point précis qu'il faut bien saisir la nature de cette puissance de Dieu. Elle peut signifier des signes et des miracles – nous le verrons plus loin – mais ici, il semble qu'il s'agit de la puissance de Dieu elle-même. Paul refuse les discours d'une sagesse humaine qui seraient persuasifs par eux-mêmes et qui feraient de la foi une adhésion d'ordre purement humain. Il peut exister des prédicateurs qui ont un talent oratoire et une force de conviction qui emportent l'adhésion humaine de leurs auditeurs. La prédication de Paul est bien une démonstration, c'est-à-dire qu'elle ne néglige pas les raisonnements et les arguments, mais c'est une démonstration s'appuyant surtout sur la puissance de l'Esprit, venant de Dieu, et qui demande donc une adhésion d'un autre ordre, celui de l'esprit. La puissance de l'Esprit qui agit au-dehors dans les paroles du prédicateur est aussi celle qui besogne à l'intérieur du cœur des auditeurs pour les faire adhérer à ces paroles. Elle emporte l'adhésion par une sorte de témoignage intérieur qui ne permet aucun doute, transforme et convertit les cœurs. C'est aussi la puissance de l'Esprit qui nous fait pénétrer bien au-delà de ce que l'œil voit et de ce que l'oreille entend. C'est l'Esprit Saint qui nous fait scruter les profondeurs de la Trinité au fond du cœur de l'homme. La puissance de Dieu marque le cœur au fer rouge. Désormais, on ne peut plus oublier cette brûlure de l'Esprit qui laisse une trace ineffaçable dans les profondeurs de l'être. On retrouve là le maître intérieur dont parle saint Augustin et dont le rôle est indispensable pour féconder la parole du prédicateur.

Mais il y a chez Paul un autre texte qui évoque la puissance de Dieu, plus proche de l'utilisation qu'en fait saint Luc dans les Actes. Il s'agit de la puissance de Dieu qui s'incarne dans des miracles et des signes : *En effet, l'Évangile que nous annonçons ne vous a pas été présenté comme un simple discours, mais il a montré surabondamment sa puissance, par l'action de l'Esprit Saint* (1 Th 1, 5). « Littéralement : "Notre évangile n'a pas été pour vous en paroles seulement, mais en puissance, en Esprit Saint, et toute plénitude" ». La puissance de Dieu, en grec *dunamis tou theou* – « qui se manifeste dans la prédication de l'Évangile n'est pas à comprendre obligatoirement comme s'il s'agissait de miracles, bien que le même terme, mais au pluriel – *dunameis* – ait souvent le sens de miracles. Comme en 1 Co 2, 1-4 et Rm 1, 16, Paul veut dire que, dans l'acte même de la prédication de l'Évangile, la puissance divine est à l'œuvre. Et comme dans l'A.T., c'est l'Esprit de Dieu, ici l'Esprit Saint, qui est l'instrument privilégié de cette action » (TOB, note i, p. 621).

Ainsi, lorsqu'on parle de la puissance de Dieu, on peut tout aussi bien évoquer les signes de cette puissance que sont les miracles opérés par les mains des apôtres (Ac 5, 12) et en même temps, la puissance de Dieu elle-même, selon que l'expression est utilisée au singulier ou au pluriel. La puissance de Dieu est une force mystérieuse et invisible cachée au cœur de la Parole de Dieu et qui opère dans le cœur des croyants ce qu'elle annonce. Son premier effet est de « toucher » le cœur, au sens où l'on dit à quelqu'un : « Ce que vous dites m'a touché. » C'est un peu comme le coup de foudre provoqué par le croisement d'un regard bouleversant, mais cet enthousiasme ne serait rien s'il n'était accompagné d'une transformation du cœur par la conversion. Et plus cette conversion est durable dans le temps et à tous les niveaux de profondeur de la personne, plus on rend grâce à Dieu de sa puissance. Tous les convertis vous diront que quelque chose s'est passé en eux : il y a eu un avant et un après.

C'est l'attitude de Paul dans la suite de la lettre aux Thessaloniciens que nous venons de citer. Il va rendre grâce pour cette puissance de Dieu à l'œuvre dans la parole (1 Th 1, 5) et aussi dans la vie de foi de ceux qui l'ont accueillie. S'il n'y a pas eu de miracles spectaculaires, il y a eu le signe fondamental d'une vie transformée par la Parole. Paul exprime bien l'œuvre de la Parole dans le cœur de ceux qui la reçoivent avec foi : *Voici pourquoi de notre côté, nous rendons sans cesse grâce à Dieu. Quand vous avez reçu la Parole de Dieu que nous vous faisions entendre, vous l'avez accueillie, non comme une parole d'homme, mais comme ce qu'elle est réellement, la Parole de Dieu, qui est aussi à l'œuvre en vous, les croyants* (1 Th 2, 13).

5. « LE CHRIST, PUISSANCE DE DIEU » (1 CO 1, 24)

Mettre la Parole en pratique ne veut pas seulement dire la réaliser dans la pratique de son existence, mais la laisser pénétrer au cœur de notre vie (de notre *praxis*) en travail d'enfantement et de croissance. Dès que la Parole de Dieu est déposée dans le cœur, elle opère par elle-même à la manière d'un germe ou d'un levain : la meilleure comparaison est celle utilisée par Jésus dans l'Évangile, et remarquez bien que Jésus en parle à propos du Règne, c'est-à-dire à propos de la deuxième demande du *Notre Père*. Voici ce qu'il en dit : *Le Royaume des cieux est comparable à un grain de moutarde qu'un homme prend et sème dans son champ. C'est bien la plus petite de toutes les semences ; mais quand elle a poussé, elle est la plus grande des plantes potagères : elle devient un arbre, si bien que les oiseaux du ciel viennent faire leurs nids dans ses branches* (Mt 13, 31-32).

Il leur dit une autre parabole : *Le Royaume des cieux est comparable à du levain qu'une femme prend et enfouit dans trois mesures de farine, si bien que toute la masse lève* (Mt 13, 33).

Ainsi, il n'y a aucune proportion entre la petitesse de la graine et l'étendue de l'arbre qui abrite les oiseaux, comme il n'y a aucune proportion entre les souffrances du temps présent et la gloire qui doit être révélée en nous (Rm 8, 18). Le dynamisme de croissance est à l'intérieur de la graine comme il est à l'intérieur de la puissance de Dieu. Bien plus, la semence pousse et porte du fruit par elle-même, sans que l'homme ait besoin d'intervenir. Il est tout surpris au moment où il voit les résultats de la fécondation. C'est un grain qui pousse tout seul : *Il en est du Royaume de Dieu comme d'un homme qui jette la semence en terre : qu'il dorme ou qu'il soit debout, la nuit et le jour, la semence germe et grandit, il ne sait comment. D'elle-même, la terre produit d'abord l'herbe, puis l'épi, enfin du blé plein l'épi. Et dès que le blé est mûr, on y met la faucille, car c'est le temps de la moisson* (Mc 4, 26-28).

Ainsi le Règne de Dieu pour lequel Jésus nous invite à prier est un mystère caché et révélé aux seuls disciples, durant son existence terrestre. Après sa glorification, ce Règne atteindra les extrémités de la terre. La graine qui pousse d'elle-même manifeste la force secrète de ce mystère jusqu'à l'établissement définitif du Règne représenté par la moisson, comme dit la note *a* de la TOB (p. 143) : « Le contraste entre la petitesse de la graine quand elle est cachée en terre et l'ampleur de la plante au terme de sa croissance suggère la force irrésistible du Règne de Dieu dont la puissance agit en secret, à travers les Actes et l'enseignement de Jésus. »

Si on regarde de plus près la nature de cette puissance, on voit que c'est elle qui est à l'œuvre dans la Résurrection de Jésus. Elle n'agit pas seulement à travers la parole et les miracles, mais elle est aussi à l'œuvre à l'intérieur même de la Résurrection glorieuse de Jésus. Elle vient du Père, elle agit dans la glorification de Jésus et elle rend gloire à la Trinité Sainte, en intégrant tous les hommes convertis par l'Esprit Saint. On peut dire aussi que cette puissance de Dieu s'identifie à l'Esprit Saint. C'est lui qui agit dans la Croix glorieuse pour ressusciter Jésus et attirer tous les hommes à lui. Qui n'a pressenti et tant soit peu expérimenté cette puissance de l'Esprit à l'œuvre dans la Croix du Christ qui nous attire, ne peut pas percevoir cette puissance à l'œuvre dans la prédication et les miracles des apôtres : *Le Dieu de nos pères a ressuscité Jésus, que vous avez exécuté en le pendant au bois du supplice. C'est lui que Dieu, par sa puissance, a élevé en faisant de lui le chef, le Sauveur, pour apporter à Israël la conversion et le pardon des péchés. Quant à nous, nous sommes les témoins de tout cela, avec l'Esprit Saint, que Dieu a donné à ceux qui lui obéissent* (Ac 5, 30-32).

Ainsi, la puissance de Dieu n'est rien d'autre que l'Esprit Saint qui unit le Père et le Fils et qui a imprégné la personne du Christ tout au long de sa vie. On pourrait dire que cette puissance de Dieu, c'est la force de l'amour, en reprenant une parole du Starets Zossima dans *Les Frères Karamazov* : « L'humilité de l'amour, la force la plus puissante de toutes. » C'est cet amour qui vient du cœur des Trois et qui a poussé Jésus à livrer sa vie pour nous, qui l'a ressuscité des morts : *Il n'y a pas de plus grand amour que de donner sa vie pour ses amis* (Jn 15, 13). Un tel amour ne peut pas mourir et sa force est capable de renverser toutes les montagnes d'orgueil et d'égoïsme. Malheureusement, comme nous croyons surtout à une autre puissance – celle de la force orgueilleuse et de la violence –, nous ne pouvons rien comprendre à la douceur de l'amour qui est une force terrible et désarmante, à cause de son humilité.

Avec plus de force encore, Paul va souligner le paradoxe entre l'humilité et la folie de la croix et la puissance de Dieu qu'elle dévoile, au point que tous les hommes seront attirés par ce Jésus élevé de terre. C'est à propos de la prédication de la croix que Paul évoque ce *scandale pour les Juifs et folie pour les païens*, mais *pour ceux qui sont appelés, tant Juifs que Grecs, il est Christ, puissance de Dieu et sagesse de Dieu. Car ce qui est folie de Dieu est plus sage que les hommes et ce qui est faiblesse de Dieu est plus fort que les hommes* (1 Co 1, 24-25). Pour comprendre cela, il faut une sagesse supérieure, celle des Béatitudes. Il faut percer le voile charnel qui recouvre le cœur des apôtres après la mort du Vendredi saint et qui fait dire au Christ : *Esprits sans intelligence, cœurs lents à croire tout ce qu'ont annoncé les prophètes. Ne fallait-il pas que le Christ souffrît tout cela pour entrer dans la gloire* (Lc 24, 25-26). « Au premier abord, la prédication de la croix est le contraire de ce que les hommes attendent : occasion de chute au lieu de signe de la puissance de Dieu, folie au lieu de sagesse. Mais une fois cette obscurité surmontée et l'adhésion donnée dans l'abandon de la foi, la Croix apparaît comme la réalisation suprême de cette attente : sagesse et puissance supérieures » (TOB, note *z*, p. 500). Voilà ce qu'est la puissance de Dieu ou la force que Paul appelle aussi l'Esprit Saint. En face d'un homme qui n'est qu'humilité et douceur, on ne peut pas rester neutre : ou on se laisse toucher par sa douceur et on se convertit, ou alors on se durcit davantage pour s'enfoncer dans l'orgueil. Ceux qui sont passés par la torture savent que leur silence et leur douceur peuvent éveiller chez leurs bourreaux des sentiments contradictoires, soit de tendresse, soit une recrudescence de la violence. Deux forces mènent le monde : la puissance de l'amour et la puissance de l'orgueil. Depuis un certain Vendredi saint et un matin de Pâques, on sait qui a le dernier mot.

6. « L'ESPRIT DE CELUI QUI A RESSUSCITÉ JÉSUS » (RM 8, 11)

C'est dans le chapitre 8 de la lettre aux Romains que Paul est le plus clair pour identifier la puissance de Dieu avec l'Esprit Saint[2], puisqu'il assigne aux deux le même effet : ressusciter Jésus d'entre les morts. Voici comment il s'exprime : *Si l'Esprit de Celui qui a ressuscité Jésus*

2. Dans son discours chez le centurion Corneille, Pierre dit que Dieu a conféré à Jésus l'onction d'Esprit Saint et de puissance.

d'entre les morts habite en vous, celui qui a ressuscité Jésus Christ d'entre les morts donnera aussi la vie à vos corps mortels par son esprit qui habite en vous (Rm 8, 11). Ainsi l'Esprit qui a ressuscité Jésus d'entre les morts et l'a fait passer à une vie nouvelle a donc vaincu la difficulté la plus grande qui soit : la mort. Cet Esprit qui est une puissance et une force extraordinaires demeure en nous d'une manière permanente et opère en nous ce qu'il a fait dans le Christ. Dès qu'un chrétien prend conscience de cette réalité de l'Esprit qui habite en lui, et dès qu'il croit que ce même Esprit a vaincu la mort, alors bien des choses deviennent possibles. Il lui suffit de croire en la puissance de cet Esprit pour surmonter une tentation dont il n'arrivait pas à bout, ou pour entreprendre une tâche apostolique qui lui paraissait impossible.

L'homme qui croit à la puissance de l'Esprit en lui est habité par une joie, une force, un courage et même une audace qui dépassent tout ce qu'il a connu. Il ose se risquer car il met sa confiance en la force de l'Esprit Saint. Je suis persuadé qu'il se passerait des choses inhabituelles dans l'Église et dans le monde si on se mettait à croire à cela. Ce ne serait pas des choses extraordinaires ou sensationnelles, mais toute notre personne serait animée d'un courage apostolique, d'une joie intérieure et d'une chaleur communicative qui sont les signes de la présence de l'Esprit en nous.

C'est peut-être le signe fondamental d'un agir apostolique pour le Règne. Ce signe paraît encore plus important et plus convaincant que le signe des miracles opérés par les apôtres dans les Actes. Comme dit le cardinal Danneels : « Le plus spectaculaire des fruits de l'Esprit dans le cœur des disciples, c'est le courage. Depuis l'arrestation de Jésus au jardin des Oliviers, leur cœur n'était habité que par la peur : *Alors les disciples l'abandonnèrent tous et prirent la fuite* (Mt 26, 56). » Ils s'étaient terrés, la porte du Cénacle fermée à double tour. « Au jour de la Pentecôte, d'un seul coup, tout est bouleversé. Les plaies se cicatrisent par le baume de l'Esprit ; Pierre et les Onze sortent de chez eux et parlent aux Juifs en hommes libres et avec courage. Pierre et Jean n'ont aucune crainte de témoigner devant ce même sanhédrin, qui avait condamné à mort leur maître. Les voilà qui se mettent à parler de Jésus avec un courage stupéfiant[3]. »

7. UNE ASSURANCE ABSOLUE

Ce « courage stupéfiant » dont parle le cardinal Danneels, qui est le fruit le plus visible de l'action de l'Esprit dans le cœur d'un apôtre, porte un nom en langage biblique : « l'assurance absolue » ; c'est à propos de la proclamation du nom de Jésus faite par Pierre pour guérir le boiteux que les Actes vont l'évoquer : *Ils constataient l'assurance de Pierre et de Jean et, se rendant compte qu'il s'agissait d'hommes sans instruction et de gens quelconques, ils en étaient étonnés. Ils reconnaissaient en eux des compagnons de Jésus, ils regardaient l'homme qui se trouvait près d'eux et ils ne trouvaient pas de réponse* (Ac 4, 13-14). Devant Pilate, Jésus avait osé témoigner, au risque de sa vie ; à présent, ce sont ses disciples qui font de même, à la stupéfaction de leurs juges. Ce substantif (ainsi que le verbe apparenté) se dit en grec *parrhésia* et

---

3. Cardinal Godfried DANNEELS, « Le Feu de l'Esprit », in *Paroles de vie*, Pentecôte 1987, n° 12, pp. 28-29.

« désigne l'assurance, à la fois intérieure et visible, qui caractérise la prédication apostolique, même dans les situations difficiles, d'un bout (2, 29) à l'autre (28, 31) des Actes » (note *t*, TOB, p. 376). Ce mot pourrait aussi se traduire par « liberté » (2, 29) pour indiquer que les apôtres ne craignent rien.

Ainsi, cette assurance absolue est faite de liberté, de confiance et aussi d'espérance. C'est une assurance indéfectible pour annoncer en toute liberté la Parole de Dieu (confiance audacieuse, liberté de tout dire). Elle est fondée sur Dieu, sur le nom de Jésus, sur le Seigneur dont la présence est manifestée par les signes et les prodiges qui accompagnent la prédication (4, 31 ; 9, 27 ; 14, 3). C'est même, avons-nous dit, le signe le plus visible et le plus frappant. Rien ni personne ne pourrait arrêter les apôtres dans la prédication du nom de Jésus. Cette assurance apparaît comme un aspect de la foi, tout en étant un fruit de l'Esprit Saint. Il faut aussi noter l'enracinement trinitaire de cette assurance.

On retrouvera cette même assurance dans la prédication de Paul ; il est intéressant de noter ici que la *parrhésia* s'enracine dans l'espérance : *Forts d'une pareille espérance, nous sommes pleins d'assurance* (2 Co 3, 12). Nous retrouverons cette même assurance chez les martyrs, aussi bien ceux de la primitive Église que chez un homme comme Maximilien Kolbe qui faisait reculer ses bourreaux, comme Jésus à l'agonie rayonnait la gloire : *Dès que Jésus leur eut dit : « c'est moi », ils eurent un mouvement de recul et tombèrent* (Jn 18, 6). On pourrait aussi citer, parmi les martyrs des persécutions, le témoignage d'un certain Alexandre, martyrisé à Lyon en 177 : « Il était de race phrygienne ; par sa profession, il était médecin. Il était connu pour son amour de Dieu et le courage de sa parole car le charisme de l'apôtre ne lui était pas étranger. » On trouverait le même courage apostolique et une pareille assurance chez saint Pothin et sainte Blandine, tous deux martyrisés à Lyon à la même époque qu'Alexandre. On craignait pour Blandine, à cause de sa jeunesse, qu'elle ne pût avec assurance faire sa confession de foi, à cause aussi de la faiblesse de son corps : « Mais Blandine fut remplie d'une telle force qu'elle lassa et découragea ceux qui, se relayant les uns les autres, l'avaient torturée depuis le matin jusqu'au soir. La bienheureuse, comme un généreux athlète, se renouvelait dans sa confession ; c'était pour elle un réconfort, un repos, un arrêt dans la souffrance que de dire : "Je suis chrétienne ; chez nous, il ne se fait rien de mal"[4]. »

Ce même courage est donné aujourd'hui aux apôtres pour qu'ils témoignent du Christ, aussi bien face à un monde différent qu'à l'hostilité des régimes athées. C'est un don que l'Esprit fait aujourd'hui à l'Église du Christ pour que les chrétiens aient le courage d'aller témoigner en face des autres, ceux qui sont loin et ne partagent pas notre foi, ou même lui sont hostiles. L'Église doit aujourd'hui prier l'Esprit Saint de susciter ces témoins vers l'extérieur afin que le nom de Jésus-Ressuscité soit annoncé à ceux qui sont loin. Ces apôtres sont indispensables dans le monde d'aujourd'hui en état de diaspora. « Il est certain, dit encore le cardinal Danneels, que tous les chrétiens ne reçoivent pas ce charisme de l'annonce première de la foi aux non-chrétiens. Mais n'est-il tout de même pas étonnant qu'en notre société

---

4. *Lettre des Églises de Lyon et de Vienne aux Églises d'Asie et de Phrygie*, 177.

si semblable à celle de saint Paul par son pluralisme idéologique, si peu d'entre nous optent comme lui pour le chemin des païens, de ceux qui ne partagent pas nos convictions chrétiennes ? Trop peu d'entre nous peuvent se reconnaître dans la parole de Paul : *Ils* (les apôtres) *virent que l'évangélisation des incirconcis m'avait été confiée comme à Pierre celle des circoncis ; car celui qui avait agi en Pierre pour l'apostolat des circoncis avait aussi agi en moi en faveur des païens* (Ga 2, 7-8)[5]. »

8. Prière pour les apôtres

Tout au long de ce chapitre consacré à la deuxième demande du *Notre Père* : « Que ton Règne vienne », nous avons baigné dans le chapitre 4 des Actes où nous avons vu Pierre et Jean opérer des guérisons et annoncer à travers elles la puissance de Dieu à l'œuvre à travers ces signes. Ils proclament le Kérygme avec puissance, en annonçant que ce Jésus crucifié par les Juifs, Dieu l'a ressuscité. Alors les membres du sanhédrin les font arrêter et c'est l'occasion pour Pierre et Jean de faire leur belle confession de foi dans la puissance du nom de Jésus qui culmine dans cette parole : *Il n'y a aucun autre nom offert aux hommes qui soit nécessaire à notre salut* (Ac 4, 12). Puis nous avons parlé de cette assurance absolue qui est le signe le plus clair de l'action de l'Esprit dans les apôtres.

Pour terminer, nous voudrions reprendre la prière que toute la communauté va faire lorsque Pierre et Jean seront relâchés et rejoindront leurs compagnons : *Ils racontèrent ce*

5. *Opuscule cité*, p. 30.

que les grands prêtres et les anciens leur avaient dit. On les écouta ; puis tous unanimes (on pense à la prière unanime de Marie et des apôtres au Cénacle, Actes 1, 14), *s'adressèrent à Dieu en ces termes...* (Ac 4, 23-24). Vient alors la prière qui résume tous les aspects de la prédication exposés dans ce chapitre des Actes. Il faut redire cette prière (Ac 4, 24 à 31), car elle est le développement explicite de ce que nous demandons dans l'appel de Jésus : « Que ton Règne vienne ! » Nous pourrons dire ensuite comment l'homme peut collaborer à ce Règne lorsqu'il est envoyé par l'Esprit et qu'il met en œuvre ses dons et ses charismes, car il est fondamental d'enraciner le Règne dans la prière.

Le Règne n'est pas une œuvre comme une autre. C'est une œuvre surnaturelle, quant à son objet et quant à la manière dont il est atteint. Ce qui suppose une prière intense, comme celle de la communauté décrite dans les Actes (4, 23). Le Royaume existe en lui-même et on y entre par grâce. On ne le construit pas, il faut trouver la porte étroite pour y entrer. Comme le conseille saint Ignace lorsqu'il nous invite à méditer sur le Règne, il faut « demander à être reçu » (*Exercices*, n° 91). C'est pourquoi nous demandons à être admis dans le Royaume par grâce. Mais, en même temps, nous rejetons toute peur, en nous croyant incapables ou en redoutant notre faiblesse. Nous ne comptons pas sur nos propres forces, mais sur la puissance de Dieu qui soulève notre faiblesse, sans qu'elle cesse d'être une faiblesse et se manifeste comme telle par des pauvretés, des misères et des chutes dont nous ne démêlerons jamais notre responsabilité. Cette obscurité doit être acceptée et remise sans cesse à la puissance de Dieu : *Ma grâce te suffit, ma puissance donne toute sa mesure dans la faiblesse. Aussi, mettrai-je mon orgueil bien plutôt dans mes faiblesses, afin que repose sur moi la puissance du Christ* (2 Co 12, 9). La loi du Royaume peut ainsi s'énoncer : « L'humilité de qui a tout à recevoir, mais qui montre sa vérité en ce qu'il rejette toute peur. »

Au fond, quand le Christ invite ses disciples à prier pour que le Règne de Dieu s'établisse, il ne fait que conseiller ce qu'il a lui-même réalisé lorsqu'il passait des nuits entières à prier, avant de choisir les apôtres qui travailleront à la construction du Royaume. Chaque fois que le Christ doit opérer un signe du Royaume, ou quand il l'a fait, il se retire pour prier. De même, quand il doit se réajuster à la volonté du Père, pour parler du Royaume. Le Christ sait bien que le Royaume est là et qu'il faut prier pour que les hommes y soient introduits : *En ces jours-là, Jésus s'en alla dans la montagne pour prier et il passa toute la nuit à prier Dieu ; puis le jour venu, il appela ses disciples et en choisit douze auxquels il donna le nom d'Apôtres* (Lc 6, 12-13).

On peut dire que le Christ réalise le jour ce qu'il a « vu » la nuit dans la prière, comme on disait de saint Dominique qu'il priait la nuit et prêchait le jour. Les apôtres n'agiront pas d'une autre façon. C'est dans la prière au Cénacle qu'ils s'apprêtent à recevoir l'Esprit pour opérer des signes et annoncer le Christ ressuscité. C'est dans la prière qu'ils reviennent lorsqu'ils ont été libérés par les grands prêtres. Nous avons ici un modèle de prières chrétiennes, dont deux sont rapportées dans les Actes : la première concerne le choix de Matthias (Ac 1, 24), la seconde est celle que nous regardons (4, 24-30). Il y a aussi dans les Actes deux brefs appels au Seigneur Jésus (7, 59-60).

Ce sont des prières trinitaires en ce sens qu'elles s'adressent au Dieu Créateur et Père et commencent toujours par

161

proclamer sa Seigneurie sur le ciel et sur la terre. Toutes les deux ont la même structure fondamentale : elles interpellent Dieu en une formule plus ou moins développée (1, 24a et 4, 24-28). Ce qui est intéressant dans le texte qui nous occupe, c'est la lecture que font les apôtres de l'événement qu'ils viennent de vivre – leur arrestation par les grands prêtres – à la lumière du psaume 2 qui est messianique et décrit la contradiction que rencontrera le Messie chez les princes et les grands de ce monde. Ses ennemis ne font que réaliser le dessein de Dieu, en étant ses instruments involontaires. Il est normal que les apôtres connaissent la même persécution, car le disciple n'est pas au-dessus de son Maître.

Ce qui est surtout intéressant dans la fin de cette prière (4, 29-31), c'est ce qui doit inspirer la nôtre dans la situation vécue par l'Église aujourd'hui au cœur du monde. Les apôtres ne demandent pas que cessent ces persécutions – elles entrent dans le dessein normal de Dieu – mais ils prient pour qu'ils aient la liberté et l'assurance d'annoncer la Parole de Dieu, c'est-à-dire le Christ ressuscité. Nous retrouvons alors le schéma du début : pour que cette parole soit accréditée auprès des auditeurs, afin qu'elle ne soit pas un vain discours de sagesse humaine, ils demandent à Dieu d'opérer des signes et des prodiges par le saint nom de Jésus. Ainsi, c'est toujours le même schéma qui est à l'œuvre dans la prédication : signes, prodiges, assurance absolue. Puissance du nom de Jésus ressuscité. Proclamation du Kérygme. Conversion, foi et invocation du nom de Jésus. Don de l'Esprit Saint.

Au cœur de la proclamation du Christ ressuscité (Kérygme), il y a toujours la conversion, la foi et l'invocation du nom de Jésus et donc une rencontre personnelle avec lui dans une adhésion de confiance. Enfin, il y a le don de l'Esprit promis par le Père.

Même si la situation du monde aujourd'hui est différente de celle des Actes, nous sommes proches de la diaspora de Corinthe – surtout sur le plan du sens religieux et de la morale. Nous nous demandions plus haut : pourquoi si peu d'apôtres s'engagent-ils en direction des païens pour une annonce directe de l'Évangile ? Ce ne sont pas les travaux d'approche qui manquent, aussi bien au niveau de la psychologie que de la sociologie et du langage. On a beaucoup écrit sur le terrain du cœur de l'homme pour que la semence de l'Évangile puisse l'atteindre, s'enraciner et porter du fruit. Ainsi, nous avons été attentifs aux « signes des temps » et les sciences humaines nous ont fourni à ce propos des instruments toujours meilleurs : « Tout cela nous a pourtant valu fatigue et déception : les résultats étaient-ils vraiment à la mesure de l'effort investi ? » (*op. cit.*, p. 8).

Peut-être avons-nous oublié l'essentiel ? Il ne suffit pas de connaître le terrain pour que le grain rapporte cent pour un, il faut aussi que le soleil et la pluie viennent féconder la graine jetée en terre. Il en va de même pour le Royaume : la véritable fécondité ne peut venir que d'en haut. Il faut que l'Esprit Saint, la « force d'en haut », vienne évangéliser les cœurs. Pour être vrais, osons dire que ce qui nous manque le plus dans l'évangélisation, ce ne sont pas les moyens techniques et les études de terrain, mais le dynamisme de la puissance de Dieu. Nous manquons d'enthousiasme et de ferveur, parce que la force d'en haut, la *dunamis tou theou*, ne bouscule plus notre cœur. Il faudrait que cette puissance de conviction traverse nos paroles et secoue tous les chrétiens comme Paul l'a fait pour toutes les Églises de Dieu. Tant que l'on ne sentira pas ce dynamisme de l'Esprit, non seulement dans nos paroles, mais aussi à l'œuvre dans toute notre vie, il est fort à craindre que nous ne soyons pas témoins du Christ ressuscité.

En d'autres termes, nous avons besoin de retourner au Cénacle pour attendre la promesse du Père (Ac 1, 4), et être revêtus de la puissance d'en haut qui viendra sur nous. Alors nous pourrons être témoins à Jérusalem et jusqu'aux extrémités de la terre. Au Cénacle, les apôtres reçoivent l'Esprit, c'est lui qui donne à Pierre la force de proclamer l'Évangile le jour de la Pentecôte. Il faut prier pour que l'Esprit soit donné à ceux qui sont réunis au Cénacle, il faut surtout demander pour eux qu'ils puissent accomplir les signes du Royaume et annoncer le Christ mort et ressuscité.

Quelle que soit notre mission, notre fonction ou notre activité dans l'Église, nous devons toujours être convaincus que c'est toujours le même Esprit qui est à l'œuvre dans les dons variés de la grâce (1 Co 12, 4-6). Ce sera l'objet du prochain chapitre. Alors, si nous voulons annoncer avec force l'Évangile, aussi bien à Jérusalem qu'à Corinthe, nous devons retourner avec Marie au Cénacle pour y recevoir le feu de l'Esprit. Pourquoi ne pas reprendre la prière même de la communauté, au retour de Pierre et de Jean ? Elle a porté ses fruits, puisque tous sont remplis de l'Esprit Saint et proclament avec assurance la Parole de Dieu. Et elle peut porter aujourd'hui les mêmes fruits si nous croyons :

Maître, c'est Toi qui as créé le ciel et la terre, la mer et tout ce qui s'y trouve, toi qui as mis par l'Esprit Saint ces

*paroles dans la bouche de notre père David, ton serviteur.
Pourquoi donc ces grondements des nations et ces vaines
entreprises des peuples ? Les rois de la terre se sont
assemblés pour ne faire plus qu'un contre le Seigneur et
contre son Oint.*

*Oui, ils se sont vraiment assemblés en cette ville,
Hérode et Ponce Pilate, avec les nations et les peuples
d'Israël, contre Jésus ton Saint Serviteur, que tu avais
oint. Ils ont ainsi réalisé tous les desseins que ta main et ta
volonté avaient établis. Et maintenant, Seigneur, sois
attentif à leurs menaces et accorde à tes serviteurs de dire
ta parole avec une entière assurance. Étends donc la main
pour que se produisent des guérisons, des signes et des
prodiges par le nom de Jésus, ton saint serviteur.*

*A la fin de leur prière, le local où ils se trouvaient réunis
fut ébranlé ; ils furent tous remplis du Saint-Esprit et
disaient avec assurance la parole de Dieu* (Ac 4, 24-31).

7

LES DONS DE L'ESPRIT

Nous demeurons encore sur la deuxième invocation du *Notre Père* : « Que ton Règne vienne », et après avoir prié pour que ce Règne s'instaure au cœur du monde, comme Jésus nous a demandé de le faire, nous nous demandons comment y collaborer, puisque l'Esprit du Ressuscité est l'agent principal de l'établissement du Royaume. Comme le dit Paul, il est à la source de la prière, des dons, des ministères et des activités (1 Co 12, 1 et sq.). Il est intéressant de noter qu'au moment où Paul va évoquer la diversité des dons et des activités dans l'Église, il prend soin aussi de mettre l'Esprit comme source et dynamisme de la prière : *Au sujet des dons de l'Esprit, je ne veux pas que vous soyez dans l'ignorance... C'est pourquoi, je vous le déclare : personne, parlant sous l'influence de l'Esprit de Dieu ne dit : « Maudit soit Jésus » et nul ne peut dire : « Jésus est Seigneur », si ce n'est pas l'Esprit Saint* (1 Co 12, 1 et 3).

1. « TOUS, UNANIMES, ÉTAIENT ASSIDUS A LA PRIÈRE »

Ainsi, pour Paul, la prière qui est l'invocation du nom du Seigneur, sous l'action de l'Esprit Saint, est la source de toute activité apostolique, « l'agir » de l'Esprit par excellence, c'est-à-dire la mise en œuvre de sa puissance. Il suffit de voir comment les choses se sont passées au début de l'Église pour s'en convaincre. L'effusion de l'Esprit, le jour de la Pentecôte, et le discours de Pierre aux Juifs réunis à Jérusalem ont été précédés par « dix jours de retraite » au Cénacle : *Tous, unanimes, étaient assidus à la prière.*

Chaque fois que l'Église se demande comment annoncer aujourd'hui le mystère du Royaume et proclamer le Christ ressuscité, elle doit revenir au mystère de sa source, c'est-à-dire au Cénacle. Comme le dit le pape Jean-Paul II dans un texte que nous avons déjà cité, « l'Église est née au Cénacle et ne doit jamais en sortir », car c'est là qu'elle reçoit le dynamisme et la force de l'Esprit pour aller vers les hommes. C'est d'autant plus important aujourd'hui que nos points de repère sont mobiles et que nous vivons dans un univers où Dieu ne semble plus avoir de place. Notre société est sécularisée au point que la foi est reléguée dans le domaine de la vie privée. Comment faire pour annoncer le Christ à des hommes qui vivent dans un monde où Dieu est absent, ou qui ont été chrétiens de nom et ne le sont plus ?

C'est là que nous avons besoin de revenir au Cénacle pour expérimenter la puissance du feu de l'Esprit et redécouvrir nous-mêmes le Christ ressuscité comme une personne vivante. Plus nous sommes propulsés aux frontières d'un monde incroyant et froid, plus nous avons besoin de nous recentrer au foyer de l'Esprit Saint. En d'autres termes, nous devons recevoir la consolation de l'Esprit pour ne pas être découragés comme Élie au désert. C'est au « Cénacle » que nous revivons la Pentecôte invisible et redécouvrons la Puissance de la Parole de Dieu : « Chaque fois qu'une communauté croyante est paralysée par l'angoisse, qu'elle est désorientée et découragée, il lui faut se retirer dans la chambre haute, au Cénacle, ce lieu d'intimité où Dieu est reconnu, adoré, supplié et remercié. C'est là que l'Église retrouve son unanimité fondamentale, lorsqu'elle est rassemblée longuement dans une prière fervente. En des temps où nous sommes tentés d'échafauder chacun notre propre stratégie, d'allumer notre propre petit feu de bois, il nous faut nous réunir pour recevoir ensemble le feu unique de la Pentecôte, l'Esprit qui vient de Dieu. Tout ce que l'Église entreprend en vue de l'évangélisation s'enracine dans une prière assidue, patiente et persévérante. Dans une prière suffisamment prolongée, car il ne s'agit pas seulement de prier quelques instants avant ou après l'action : il faut que nous nous laissions « travailler » par la prière. C'est notre vie entière qui doit baigner dans un climat de prière, d'adoration, d'abandon et d'action de grâce[1]. »

2. ACCUEILLIR LE DON DE L'ESPRIT

Le jour de la Pentecôte étant arrivé, ils se trouvaient tous ensemble dans un même lieu, quand, tout à coup,

---

1. Cardinal Godfried DANNEELS, *Paroles de vie*, Pentecôte, 1987, p. 9.

vient du ciel un bruit tel que celui d'un violent coup de vent, qui remplit toute la maison où ils se tenaient. Ils virent apparaître des langues de feu, et il s'en posa une sur chacun d'eux. Tous furent alors remplis de l'Esprit Saint et commencèrent à parler d'autres langues, selon que l'Esprit leur donnait de s'exprimer (Ac 2, 1-4). L'effusion de l'Esprit est un don gratuit promis par Jésus et envoyé conjointement par le Père et le Fils en gloire, mais il vient aussi en réponse à la prière de Marie et des apôtres réunis au Cénacle. Hormis la prière du Christ qui demande l'Esprit (Jn 14, 16) pour ses disciples, personne ne pouvait mieux prier dans la foi et la persévérance que Marie au Cénacle. Et la prière de l'Église, signifiée par celle des apôtres, trouvait sa norme et sa source dans la prière de Marie.

Lorsque l'Église prie aujourd'hui au Cénacle, elle s'unit à la prière du Christ en gloire (He 7, 25) et elle se tourne vers Marie, en lui demandant d'intercéder pour une « nouvelle Pentecôte » (Paul VI) ou, selon une expression de Jean-Paul II, pour un « nouvel Avent ». C'est une variante, mais la réalité est la même, car l'Avent et la Pentecôte sont les deux saisons de l'Esprit Saint. Dans la première, l'Esprit descend sur la Vierge et tisse en elle l'humanité de Jésus. Dans la seconde, l'Esprit qui a ressuscité le Corps de Jésus d'entre les morts, construit son corps mystique qui est l'Église. Ainsi l'Avent et la Pentecôte sont les deux grandes saisons de l'Esprit Saint et aussi de la Vierge. L'Esprit, l'Église et Marie demeureront toujours le lieu vital où notre prière et notre action trouveront leur source et leur norme.

Mais avant de comprendre quel don chacun d'entre nous a reçu pour construire le Royaume, il nous faut peut-être contempler le don par excellence qu'est l'Esprit Saint. Avant de se « fragmenter » – au sens où le feu de la Pentecôte se divise en langues, si l'on peut ainsi parler – en ces dons précis et particuliers que constituent les activités et les ministères, il faut prendre conscience du don lui-même, qui est le don de l'amour du Père et du Fils. Nous avons toujours tendance à être obnubilés par les dons particuliers et nous oublions le don que Dieu fait de lui-même, d'abord dans l'incarnation du Fils : *Dieu a tant aimé le monde qu'il a donné son Fils unique* (Jn 3, 16), puis dans l'envoi de l'Esprit, qui est l'amour partagé du Père et du Fils. Cette manière de mettre l'accent sur les dons, au lieu d'apprécier le don, a des conséquences fâcheuses sur notre agir qui est coupé de sa source, pour faire deux parts dans notre vie : la prière et l'action. Tandis que si nous demeurons « branchés » sur la source, nos paroles et nos actes procéderont de l'Esprit Saint et donc de l'amour.

Paul est très attentif à cette source de l'amour qu'est le don de l'Esprit par excellence. Ainsi, dans les chapitres 12 et 13 de la première épître aux Corinthiens, où il décrit tous les dons de l'Esprit faits aux hommes : don de science, de prophétie, de foi, de guérison, de parler en langues, de discerner les esprits. Mais ce qui est important, essentiel est beaucoup plus profond que le niveau visible de l'action : *Tout cela,* ajoute Paul*, c'est le seul et même Esprit qui le produit, distribuant à chacun ses dons selon sa volonté* (1 Co 12, 11).

Ainsi, ce qui est important dans la construction du Royaume, ce n'est pas tellement ce que nous faisons ou disons, mais ce que nous sommes, c'est-à-dire la force de vie et d'amour de notre pensée, de notre agir et de notre être. En un mot, le motif profond de notre action, c'est l'amour, la définition du don par excellence, l'Esprit Saint. C'est pourquoi, après avoir énuméré tout ce qu'un apôtre peut faire pour construire le Royaume dans la puissance de l'Esprit, Paul peut dire : *Aspirez aux dons les meilleurs. Et de plus, je vais vous indiquer une voie infiniment supérieure* (1 Co 12, 31). C'est bien sûr la voie de l'amour qui fait l'objet de tout le chapitre 13 de la lettre aux chrétiens et c'est la voie même de la sainteté. En ce sens, le témoignage des saints est indispensable pour l'annonce de l'Évangile et la construction du Royaume.

Quand Paul énumère les différents dons de l'Esprit qui construisent le Royaume, il prend soin d'encadrer ces charismes divers par l'affirmation du primat de l'Esprit. Au début du chapitre 12 et au début du chapitre 13, il insiste sur la *voie infiniment supérieure de l'amour*, comme s'il voulait nous laisser entendre que nous ne travaillons efficacement au Règne que dans la mesure où nous laissons l'Esprit agir à travers nous.

Il commence de cette manière : *Il y a diversité de dons, mais c'est le même Esprit, diversité de ministères, mais c'est le même Seigneur, divers modes d'action, mais c'est le même Dieu qui produit tout en tous* (1 Co 12, 4-6). Puis il va insister immédiatement sur la mission personnelle de chacun, qui correspond à sa vocation propre. Il faut noter dans ces trois versets la structure trinitaire de la mission : c'est le même Esprit, le même Seigneur, c'est-à-dire le Christ, et c'est le même Dieu, le Père. Comme à la fin de l'évangile de Matthieu, l'envoi en mission procède de la Trinité : il s'agit de participer au pouvoir que le Christ reçoit du Père, de faire des disciples en les baptisant au nom du Père, et du Fils et du Saint-Esprit. En définitive, toute mission procède de la Trinité et ramène l'humanité sanctifiée au cœur des Trois. Les dons sont rattachés à l'Esprit, les ministères au Christ et l'activité au Père, puisqu'il est celui qui agit toujours (Jn 5, 17).

Tout apôtre qui travaille au Royaume ne peut avoir d'autre intention que de révéler la communion trinitaire pour disposer les hommes à y entrer librement. Son apostolat procède du don par excellence, qui est l'Esprit Saint. Il est une proposition faite aux hommes d'accueillir ce don dans un acte de liberté. C'est pourquoi l'apôtre ne doit cesser de contempler ce don de l'Esprit pour l'accueillir dans sa propre vie. L'Esprit Saint est en personne le don de Dieu, et à cause de cela l'apôtre ne peut être qu'un homme de l'Esprit Saint, un *pneumatophore*, un homme porteur de l'Esprit, comme disent nos frères d'Orient. En ce sens, c'est un homme trinitaire. Dans le mystère de la Trinité, l'Esprit est en propre le don que produisent le Père et le Fils par leur union d'amour. Le don est l'acte même de l'amour. Le Père est tout entier élan d'amour vers le Fils dans un simple mouvement de générosité : il est celui qui engendre et donne au Fils sa substance. On peut dire qu'il « s'épuise » dans le don. Le Fils est tout entier élan d'amour vers le Père dans un mouvement simple d'action de grâce : il fait retour vers le Père de tous ses dons qui le font vivre en tant que Fils. A la rencontre de ce double élan d'amour du Père et du Fils l'un vers l'autre, l'Esprit Saint jaillit, flamme vivante d'amour, comme fruit et signe de ce parfait échange. C'est le feu de deux regards qui jaillit en une étincelle d'amour (le Père Molinié dit que « la contemplation chrétienne est le feu de deux regards qui se dévorent par amour »). L'Esprit est en Dieu le don en personne, parce qu'il résulte de l'union du Père et du

Fils, lui donnant tout, l'autre redonnant tout. Entre eux, l'échange est total et parfait.

Puisqu'il est le don de Dieu, l'Esprit agit en nous par manière de don. Son action porte toujours la marque de ce qu'il est. Quand l'Esprit nous est donné, il intervient toujours comme un don vivifiant, portant à l'amour, à l'unité, à la simplicité et à la paix. A chaque instant, il communique la Vie que le Père veut nous donner par son Fils et en lui. Notre vie filiale, en participation à la condition du Fils unique, nous vient sans cesse par l'Esprit. De notre côté, nous devons demeurer attentifs à l'Esprit Saint agissant au fond de nous-mêmes du lieu où il habite, c'est-à-dire de notre cœur qui est le centre le plus profond de notre être. L'Esprit Saint s'intéresse à tout ce qui fait notre vie, il anime surtout nos actes.

C'est lui qui suscite les dons particuliers que le Père nous fait pour construire le Corps mystique de son Fils. Il est constamment disponible pour nous assister, nous fortifier, nous éclairer et nous guider par ses diverses inspirations et motions. Nous verrons la différence entre inspirations et motions dans notre recherche sur le discernement des esprits. Pour que notre action soit l'efflorescence de la présence de l'Esprit en nous, pour que les dons mis en œuvre découlent vraiment du don par excellence, il nous appartient d'être vigilants pour accueillir dans le moment présent ce que l'Esprit nous propose : lumières, paroles, sentiments, ou attraits vers une action pour retenir ainsi tout ce qui est de l'Esprit et pour rejeter soigneusement tout ce qui n'est pas de l'Esprit.

3. « Chacun reçoit le don… »

Dès que l'on a affirmé cette présence du don de l'Esprit, on peut entendre la parole de Paul sur les dons particuliers. Elle vient immédiatement après qu'il a dit : *C'est le même Esprit qui agit dans la diversité des dons et des activités*. Il poursuit : *Chacun reçoit le don de manifester l'Esprit en vue du bien de tous* (1 Co 12, 7). Ce qui revient à dire que dans le corps du Christ qui est l'Église, chaque homme reçoit un don ou une aptitude pour travailler à l'édification du Corps entier, en vue du bien de tous. Peut-être faudrait-il rattacher cette mission à ce que nous avons dit plus haut du nom propre de chacun. Dieu ne nous crée pas en série. A chacun il donne un visage propre aussi bien sur le plan physique que moral ou spirituel. Nous recevons un nom nouveau que nul ne connaît hormis celui qui le reçoit. Et ce nom intègre toutes nos virtualités, nos qualités, voire nos défauts et nos carences qui revêtent un caractère positif dans cette lumière de l'Esprit : « Pour Dieu, il n'y a pas de déchet » (cardinal Etchegaray). Cette vocation n'est pas purement personnelle, elle a une face tournée vers le bien de nos frères. Paul dit que notre don particulier est en vue du bien de tous. L'Esprit n'agit pas à l'encontre de notre intelligence, il ne bouscule pas notre tempérament ou ne modifie pas notre caractère pour construire sur ce qu'on pourrait appeler les ruines de notre nature. Lorsque l'Esprit se met à l'œuvre en nous, c'est le plus souvent dans le prolongement des dons naturels qui sont nôtres. Il les prend en main, les purifie et les porte jusqu'au bout de ce qu'ils peuvent donner. Comme dit le cardinal Danneels : « Il est rare qu'un homme doux et humble se mue en lutteur indomptable. Cela n'est pas étonnant car l'Esprit Saint et nos dons naturels proviennent de la même source : la générosité du Père. Ils pourraient difficilement être opposés[2]. » C'est pourquoi nous devons nous aimer nous-mêmes, ne pas nous mépriser, et laisser pénétrer l'Esprit Saint au cœur de notre affectivité pour la transformer en charité : *Ne brisez pas l'élan de votre générosité, mais laissez jaillir l'Esprit : soyez les serviteurs du Seigneur. Aux jours d'espérance, soyez dans la joie ; aux jours d'épreuve, tenez bon ; priez avec persévérance* (Rm 12, 11-12).

Lorsqu'un homme a découvert le nom propre qu'il a pour Dieu, lorsqu'il a repéré en lui le don particulier qu'il a reçu du Père, on peut dire qu'il est ravi de joie, comme celui qui a trouvé la perle précieuse de l'Évangile. Il n'est plus braqué sur ses défauts, ses misères, voire ses péchés de faiblesse. Il n'a plus qu'un désir : tout vendre et tout sacrifier pour acheter cette perle précieuse. Plus il met en œuvre ce don et l'exerce pratiquement et concrètement, moins il est centré sur lui-même. Un ami m'a un jour raconté comment il s'était converti à vingt-six ans et aussitôt après, était entré chez les Dominicains. Un jour, pendant son noviciat, alors qu'il priait comme doit le faire tout bon novice, il a entendu cette parole : *Tu n'as encore rien demandé en mon nom.* « Depuis cette heure-là, m'a-t-il dit, j'ai compris que j'étais appelé, dans l'Église, à être *supplication incessante* devant la face de Dieu. » Je puis vous assurer qu'à son contact, bien d'autres hommes ont découvert le don particulier que Dieu leur a fait et sont devenus des hommes de prière.

---

2. *Le Feu de l'Esprit*, pp. 40-41.

J'ai envie de dire avec humour : « Que personne ne s'inquiète, il y en a pour tout le monde ! » Ainsi, lorsque Paul regarde les chrétiens de Corinthe, il décèle une multitude de charismes, une véritable effusion de dons. La première chose dont nous devrions être convaincus, c'est qu'il y a autant de dons, d'aptitudes et de possibilités qu'il y a de chrétiens et d'hommes. Cela n'a pas changé depuis le temps de Paul. Ce qui nous manque le plus, c'est que la plupart d'entre nous et aussi des hommes qui viennent à nous, n'ont pas découvert leur charisme. Ils ressemblent à ces ouvriers de la onzième heure, dont parle Jésus, qui attendent sur la place qu'on les embauche pour le service du Royaume. Dans la prière (comme l'a fait mon ami), il faut demander à Dieu et aussi à nos frères de nous révéler le don que Dieu nous a fait. C'est pour cela qu'on fait une retraite de discernement spirituel.

Allons plus loin. La plupart du temps, nous ne pouvons pas découvrir ce don sans l'aide d'un frère qui nous le révèle. Nous avons besoin que quelqu'un nous dise : « Sais-tu que tu as le don de parler aux enfants, de dire une parole d'encouragement, ou même de panser une blessure du cœur… Sais-tu que tu as le charisme de la prière ? » Il ne faut pas seulement penser aux dons exceptionnels, comme celui de fonder un mouvement ou de diriger une communauté, il faut penser aussi aux dons normaux, ordinaires et simples qui font que l'Esprit Saint est présent dans la vie la plus quotidienne du chrétien au travail, à la maison. Le Catéchisme hollandais prolonge d'une manière actuelle la liste des charismes de Paul : parlant de ces hommes, il dit : « Ils sont si normaux qu'ils se trouvent partout à leur place, à la cuisine et au salon, à l'école et à l'atelier… Ainsi, l'Esprit Saint est présent dans cette réalité « la plus ordinaire », l'amour chrétien, car il n'existe rien au monde de plus grand… on pourrait allonger la liste (de Paul) par une description de toute la vie chrétienne ; la fidélité cachée, la bonté désintéressée (toute une vie consacrée aux malades), le devoir accompli sans faire de phrases (la mère de famille), la confiance indéracinable du pécheur que Dieu est plus grand que son propre cœur, et puis la constance dans la tentation, la serviabilité chaleureuse envers un voisin en difficultés, le véritable amour de Dieu, la persévérance brûlante dans la prière silencieuse, la patience dans la douleur, la joie d'une conscience en paix. Voilà l'œuvre de l'Esprit aujourd'hui[3]. »

Il y a deux « charismes » sur lesquels nous reviendrons et qui méritent de retenir notre attention parce qu'ils sont tellement importants pour notre époque. C'est le don de la prière et le charisme de la consolation, de l'encouragement et de la guérison. Ainsi, il y a des hommes et des femmes qui ont ce don de prier avec foi et de persévérer dans la supplication jusqu'au moment où ils obtiennent ce qu'ils demandent. Ils sont plus nombreux qu'on ne le croit, surtout chez les enfants et les personnes âgées. Très souvent, ce charisme est lié à celui de l'encouragement et de la consolation. Dans la prière, ces hommes reçoivent la consolation de l'Esprit et ils deviennent capables de consoler leurs frères dans la détresse (2 Co 1, 3).

En ce domaine, l'essentiel est de croire qu'il ne manque aucun don à notre communauté et qu'elle est comblée de toutes les richesses de la parole et de la connaissance (1 Co 1, 5-6). Mais ce qui nous manque le plus, c'est de

---

3. *Une introduction à la foi catholique*, pp. 257-258.

trouver des hommes assez spirituels pour révéler ces charismes à leurs frères. C'est peut-être une des tâches les plus importantes du ministère sacerdotal qui se traduit aujourd'hui par le besoin de trouver des maîtres, des guides et, dans les meilleurs cas, des pères spirituels, car on ne s'improvise pas dans cette tâche. Elle peut revenir à des laïcs aussi bien qu'à des prêtres, du moment que ces hommes sont porteurs d'Esprit (*pneumatophores*). Il ne s'agit pas d'avoir un don de double vue ou de télépathie, mais d'être à ce point imprégné de la vie de l'Esprit qu'on en vienne à penser, à agir et à parler comme il le ferait lui-même. L'homme spirituel n'a même pas besoin de chercher ce qu'il doit dire, la parole monte naturellement de son cœur à ses lèvres et il ne peut pas ne pas la dire. C'est pourquoi il peut révéler à ses frères leur don propre de prière, d'encouragement, de guérison et même d'enseignement, qui correspond à quelque chose d'objectif en nous ; et quand cette parole vient d'un homme de Dieu et d'un authentique spirituel, elle porte du fruit dans le cœur de celui qui la reçoit, au point qu'il est confirmé dans sa vocation et sa mission. C'est peut-être dans cette optique-là qu'il faudrait envisager aujourd'hui un appel plus précis au sacerdoce ou à la vie consacrée. Il faut oser révéler à nos frères le don de Dieu, et les appeler à le mettre en œuvre. Et là, il y a autant de charismes qu'il y a de personnes et surtout, de situations à convertir et à évangéliser. On peut dire que chaque fois qu'un nouveau besoin se fait sentir dans le monde et dans l'Église, l'Esprit suscite dans le cœur d'un homme ou d'une femme un appel et un désir efficaces pour y répondre. Je pense ici à l'intuition de Mère Térésa d'ouvrir un hôpital à San Francisco pour les malades atteints du sida. Il faudrait dire la même chose pour toutes les situations nouvelles qui apparaissent et face auxquelles nous sommes désarmés. Je crois que si nous priions suffisamment, l'Esprit Saint ne serait pas à court de lumière et de moyens pour ouvrir des chemins nouveaux à ces appels.

4. UN DON SPIRITUEL DE FORCE

Avant de regarder les différents charismes énumérés par Paul dans le chapitre 12 de la première lettre aux Corinthiens (vv. 4 à 12), qui nous donnent une idée de l'universalité des dons, il est bon de nous demander dans quel esprit nous pouvons mettre en œuvre ces charismes. Disons en bref que lorsqu'un apôtre a découvert le don précis que l'Esprit lui fait, qu'il se voit appelé à le mettre en œuvre et qu'il est envoyé par le Fils pour le réaliser, il est soudain revêtu d'une force et d'une puissance qui ne viennent pas de lui. Dans la mesure où il entre dans une œuvre qui vient d'en haut et qu'il s'insère comme un membre du Corps, il ne peut plus avoir peur car ce n'est pas son œuvre qu'il réalise, mais celle du Royaume. Et nous retrouvons là ce que nous avons dit au chapitre précédent sur la puissance de Dieu à l'œuvre dans le ministère apostolique, qui donne une assurance absolue. Dès qu'un homme se découvre comme un envoyé du Christ et de l'Esprit et dès qu'il a réalisé que Jésus est avec lui jusqu'à la fin des temps, il ne peut plus vivre dans la crainte et la peur, même si ses réactions premières relèvent encore de ces sentiments.

En d'autres termes, il est temps de « faire un saut dans l'espérance », comme le conseillait Paul VI dans une des dernières rencontres avec les évêques français. On demandait un jour au cardinal Lustiger quel était son souci dans son ministère d'évêque et il évoquait « les jeunes qui campent à la porte de la cité ». Un journaliste précisait : « Sur quelle force politique allez-vous vous appuyer pour ce travail ? » Et il répondit : « Uniquement sur la puissance du Christ ressuscité. » C'est la réponse que font les apôtres aux membres du sanhédrin quand ils sont convoqués à comparaître devant les grands prêtres. C'est peut-être la seule question qu'il faille poser à un candidat au sacerdoce : « Croyez-vous en la puissance du Christ Ressuscité ? » S'il y croit, tout est possible, à commencer par le célibat que l'Église lui demande. Il n'y a qu'un péché, c'est de ne pas croire au Christ ressuscité (saint Isaac le Syrien). C'est cela le saut dans l'espérance qui nous est proposé.

Jusqu'à présent, nous avons cru pouvoir résoudre nos problèmes par nos propres talents et nos efforts ; il suffisait d'y mettre un peu d'intelligence, de sociologie, de psychologie, voire de bonne volonté pour en sortir. Aujourd'hui, nous devons nous convaincre que cette tâche est trop lourde pour nous et que nous sommes des instruments entre les mains de Dieu. Il faut oser croire que Dieu est plus fort que tout et que son Esprit est seul capable de construire le Royaume. Aujourd'hui, il n'est plus possible d'être prêtre si on ne croit pas fondamentalement à la puissance de Dieu et de son Esprit. Face à l'ampleur d'une tâche qui nous dépasse, il faut apprendre chaque soir à la remettre entre les mains de l'Esprit en croyant qu'il va prendre soin d'elle : *Qu'il dorme, ou qu'il veille, la semence grandit et on ne sait pas comment.* On dit que Jean XXIII se couchant le soir était pris d'inquiétude pour un problème et disait : « Je vais en parler au pape demain. » Et quand il se rendait compte que c'était lui, le Pape, il se mettait à prier le Saint-Esprit et à lui confier son problème.

Nous devrions souvent méditer un texte de Paul dans sa seconde lettre à Timothée : *C'est pourquoi je t'invite à raviver le don spirituel que Dieu a déposé en toi par l'imposition de mes mains. Ce n'est pas un esprit de crainte que Dieu nous a donné, mais un esprit de force, d'amour et de maîtrise de soi* (2, 6-7). Dans la prière, nous devons supplier l'Esprit de raviver en nous le don qui nous a été fait par l'imposition de la main au baptême, et par l'imposition des mains à la confirmation et au moment de l'ordination sacerdotale pour les prêtres. Nous n'avons pas à chercher cette force en dehors de nous puisqu'elle est en nous. C'est elle qui nous défend d'avoir peur et nous donne un esprit de paix, de calme et de tranquillité devant les contradictions de la vie apostolique. Un peu plus loin, Paul continue : *Mais toi, Timothée, reste confiant, accepte ta part de souffrance, fais œuvre d'évangéliste et consacre-toi complètement à son service* (2 Tm 4, 5). En acceptant de prendre notre part de souffrance, de contradictions et de tribulations, nous faisons œuvre d'évangéliste car nous nous consacrons comme le Christ, pour que les hommes soient consacrés dans la vérité.

Un autre texte de Paul à propos du ministère souligne que le don de force est pur cadeau de l'Esprit Saint, source d'énergies nouvelles pour notre service de la Parole de Dieu, dans l'expérience même de notre faiblesse. Paul connaît bien les risques inhérents à la vie apostolique qui provoquent la tristesse et le découragement, alors il veut nous donner la véritable confiance : ... *ce trésor, nous le portons dans des vases d'argile, pour que cette incomparable puissance soit de Dieu, et non de nous. Pressés de toute part, nous ne sommes pas écrasés ; dans des impasses, mais nous arrivons à passer, pourchassés, mais non rejoints, terrassés mais non achevés ; sans cesse nous portons dans notre corps l'agonie de Jésus afin que la vie de Jésus soit elle aussi manifestée dans notre corps* (2 Co 4, 7-10). Dans les multiples expériences des faiblesses quotidiennes, l'Esprit Saint unit le disciple de Jésus à son agonie qui est le mystère même de l'amour sauveur. La puissance de Dieu donne toute sa mesure dans la faiblesse éprouvée par l'apôtre (cf. 2 Co 12, 9). L'Esprit qui donne la force du témoignage se manifeste dans notre pauvreté personnelle comme puissance divine de résurrection, au creuset de l'union au Cœur de Jésus.

En définitive, le fruit de cette assurance absolue dans le cœur de l'apôtre est la foi. Ce qui paralyse le plus un disciple du Christ, c'est l'esprit de crainte et de peur qui engendre la tristesse et le découragement. Devant la complexité des tâches et des problèmes, nous risquons de nous laisser gagner par la « sinistrose ». Il ne dépend pas de nous d'être habité par la joie et la paix car ce sont des dons de Dieu et, bien souvent, nous ne sommes pas capables d'éliminer la tristesse par nous-mêmes, nous ne pouvons que l'offrir à Dieu comme une souffrance. Mais nous pouvons toujours demander la joie du Christ, comme objet ultime de notre prière, cette joie que Jésus avait en plénitude et qui comble celui qui la reçoit, en noyant toute tristesse et toute angoisse. Quand on demande la joie, on la reçoit toujours puisqu'elle est un fruit de l'Esprit et elle peut être tellement intense que ceux qui la reçoivent souffrent autant qu'ils sont heureux, car la joie est comme opprimée en nous par les ténèbres. C'est le Calvaire et le Thabor en même temps. Un apôtre qui est habité par la paix, la joie, la simplicité, la confiance et l'esprit d'enfance, donne aux hommes ce qu'ils attendent le plus (bien au-delà des biens matériels), à savoir le bonheur intérieur, le cœur paisible, la confiance et l'abandon : « Notre époque connaît également de nombreux obstacles, parmi lesquels nous nous contenterons de mentionner le manque de ferveur. Il est d'autant plus grave qu'il vient du dedans ; il se manifeste dans la fatigue et le désenchantement, la routine et le désintérêt, et surtout le manque de joie et d'espérance… Que le monde de notre temps qui cherche, tantôt dans l'angoisse, tantôt dans l'espérance, puisse recevoir la Bonne Nouvelle, non d'évangélisateurs tristes et découragés, impatients ou anxieux, mais de ministres de l'Évangile dont la vie rayonne de ferveur, qui ont les premiers reçu en eux la joie du Christ, et qui acceptent de jouer leur vie pour que le Royaume soit annoncé et l'Église implantée au cœur du monde[4]. »

5. Une parole de sagesse et de science

Chacun reçoit donc un charisme propre pour construire le Corps du Christ, l'Église, et le plus souvent ce don de l'Esprit est dans la ligne des dons naturels de la personne. En ce sens, l'Esprit épouse notre humanité et lui fait porter des fruits au maximum. Paul va ensuite énumérer quelques-uns de ses dons, en insistant toujours sur la même origine. Regardons d'abord le premier couple de

---

4. Paul VI, *Evangelii Nuntiandi*, n° 80.

dons : *L'Esprit donne un message de sagesse à l'un et de science à l'autre* (1 Co 12, 8). Littéralement, il faudrait dire que l'Esprit donne une parole de sagesse et de science. Selon la TOB, la sagesse et la science ne désignent pas une qualité stable et permanente, mais un don passager de l'Esprit. Il faudrait aussi nous convaincre que nos communautés ne sont pas tellement différentes de celle de Corinthe et que les dons sont accordés aussi largement qu'à cette époque, seulement, nous ne les voyons plus, car nous cherchons des charismes exceptionnels alors qu'il s'agit tout simplement de dons ordinaires. Paul ne limite pas les dons de l'Esprit à ceux qu'il énumère, il y en a bien d'autres adaptés aux personnes et aux situations.

Regardons de plus près les dons de sagesse et de science qu'il ne faut pas identifier – bien qu'ils s'apparentent – aux dons du Saint-Esprit de Jean de Saint-Thomas. Ici, il s'agit plutôt de charismes, c'est-à-dire de dons tournés vers l'édification de la communauté primitive et dont l'homme bénéficie en les mettant en œuvre. Comme en 2, 6, la Sagesse désigne sans doute la connaissance approfondie du dessein de Dieu, *mystérieux et demeuré caché, que Dieu, avant les siècles, avait d'avance destiné à notre gloire*. Il est clair que cette sagesse vise les profondeurs trinitaires que Jésus est venu nous dévoiler par le mystère de sa croix glorieuse. Seul l'Esprit Saint peut nous faire scruter et pénétrer dans ces profondeurs de Dieu qui habitent aussi nos propres profondeurs. Celui qui a reçu ce don de sagesse partage tout ce que le Christ a appris chez son Père et peut introduire ses frères dans le même mystère trinitaire. Il est non seulement capable de parler avec intelligence de la communion trinitaire, mais quand il en parle, il transmet à ses auditeurs, par un don de l'Esprit, le goût de ce mystère. En d'autres termes, il introduit ceux qui l'entendent dans la communion du Fils avec le Père, en leur en donnant le goût et la saveur. Ainsi une vieille femme entend son pasteur commenter ces paroles de saint Jean : *Comme le Père m'a aimé, moi aussi je vous ai aimés. Demeurez dans mon amour*, et elle sent « bouger en elle » ce monde mystérieux de Dieu, au point qu'elle prie pendant le sermon. Ainsi certains prêtres ont ce charisme de donner le goût de l'oraison trinitaire, rien que par leur parole. Auprès d'eux, on a envie de prier.

Quant au don de science, il est plus difficile d'en préciser le contenu. Il semblerait que la parole de science est donnée selon l'Esprit et non pas comme le don de sagesse, par l'Esprit, « ce qui oriente vers une activité provoquée par l'Esprit de façon moins immédiate, moins directe (de type théologique, par opposition à un type prophétique ?) » (TOB, note s, p. 516). Je me demande si on ne pourrait pas y voir un charisme d'enseignement (laïcs théologiens), comme nous parlerons plus loin à propos de la prophétie, du charisme d'exposer l'Écriture. C'est le charisme de l'enseignement et de l'étude de la théologie, indispensable à notre époque où tant de doctrines et d'échelles de valeur se font concurrence. Nous avons besoin des dons de sagesse et de science pour équilibrer les discours unilatéraux et déséquilibrés qui fleurissent un peu partout.

Il s'agirait alors du travail patient de la catéchèse ou de la didaché. Une fois que le cœur a été bouleversé par la puissance du Christ mort et ressuscité (la puissance du Kérygme) et que l'homme s'est converti, il doit progressivement « évangéliser » sa manière de penser, d'agir, d'aimer et de prier. C'est un peu ce qui se passe quand le cœur, pour la première fois, est ébloui par la Parole de

Dieu : il se produit un choc émotionnel où tout est remis en question au niveau de la pensée, des sentiments et de la vision du monde. Un peu à la fois, la décantation s'opère, l'affectivité spirituelle se remet en place, on voit ce que l'Esprit réalise et on peut dessiner avec sérénité la carte d'un nouveau paysage spirituel, après le choc du cœur transpercé au cours de la conversion.

C'est le travail de la catéchèse, où l'on s'enrichit à partir des trésors de la liturgie, de la tradition spirituelle et de la morale. Le converti doit se laisser enseigner pour devenir un véritable disciple du Christ : l'élan de la conversion doit se prolonger, s'intégrer et s'incarner dans toute l'épaisseur de la vie et de la durée. C'est une étape de réflexion et de maturation affective où un ouvrage comme *Le Livre de la foi* des évêques belges peut aider beaucoup. C'est ici qu'il faut être attentif aux appels de Dieu. Qu'il s'agisse du sacerdoce ou de la vie religieuse, une vocation réelle peut éclore dans un terrain insuffisamment évangélisé, ce qui risque de provoquer des crises graves quand il faudra choisir la sagesse des Béatitudes et de la croix (célibat). Paul fait allusion à ces chrétiens récemment convertis qui ne peuvent pas porter le fardeau de la croix, lorsqu'il dit : « Vous ne pouvez vous nourrir que de lait, et pas encore d'aliments solides. » On pourrait faire la même remarque au sujet de la prière que nous allons aborder maintenant. Les nouveaux convertis sont des « assoiffés » de prière et ils n'ont jamais assez de temps à y consacrer. Mais un peu à la fois, la prière se tarit et la facilité à trouver le contact avec Dieu s'émousse ; c'est là qu'une véritable éducation à la prière est nécessaire, pour en découvrir le cheminement et les lois de croissance. En ce domaine, il ne s'agit pas de lire des livres sur le sujet : la rencontre d'un maître spirituel est indispensable pour confronter l'expérience et l'ajuster au réel. En effet, l'orant a moins besoin de science livresque que de lumière, d'encouragement et de « consolation », au sens de réconfort.

6. LE MÊME ESPRIT DONNE LA FOI

A un autre, poursuit Paul, le même Esprit donne la foi (1 Co 12, 9). Il est toujours question de l'Esprit qui suscite la foi, en vue du bien de tous. Et il s'agit bien sûr d'une foi à un degré extraordinaire, est-il besoin de le dire ? Celle dont parle le chapitre suivant : *Quand j'aurais la foi la plus totale, celle qui transporte les montagnes* (1 Co 13, 2). Cette parole de Marc, sur le figuier desséché : *En vérité, je vous le déclare, affirme Jésus, si quelqu'un dit à cette montagne : « Ôte-toi de là et jette-toi dans la mer », et s'il ne doute pas en son cœur, mais croit que ce qu'il dit arrivera, cela lui sera accordé. C'est pourquoi, je vous le déclare : tout ce que vous demandez en priant, croyez que vous l'avez reçu et cela vous sera accordé. Et quand vous êtes debout en prière, si vous avez quelque chose contre quelqu'un, pardonnez pour que votre Père qui est aux cieux vous pardonne aussi vos fautes* (Mc 11, 20-26). Il est intéressant ici de remonter de la parole de Paul, à propos du charisme de la foi, à la petite parabole de l'Évangile sur la puissance de la foi, car nous comprenons mieux de quelle foi il s'agit : une foi capable de renverser les montagnes et donc de réaliser des choses impossibles.

L'intérêt de la parabole tient aussi au fait que la parole sur la puissance de la foi est ici reliée et appliquée à la puissance de la prière qui, elle-même, est conditionnée par le pardon des offenses. Ainsi la foi qui est capable de transporter les montagnes est dans notre cœur le fruit de la puissance de la prière et, en même temps, c'est la puissance de la foi qui suscite la prière irrésistible.

Nous avons dit plus haut qu'il ne s'agit pas de n'importe quelle foi, mais d'une foi extraordinaire : il faut affirmer la même chose de la prière. C'est une prière qui est irrésistible et va jusqu'au bout de ce qu'elle désire, attend et demande. Il faut insister sur ce point car cette prière n'est pas ordinaire, même chez les spécialistes de la prière, c'est-à-dire les contemplatifs. Un Père grec dit que « sur toute une génération, on trouverait difficilement un homme ayant atteint cette prière irrésistible, qui renverse les montagnes ». Pour s'en convaincre, il suffit de dépasser le domaine de la littérature pieuse ou de l'anecdotique et d'observer les faits : où peut-on aujourd'hui rencontrer des hommes qui ont cette puissance de prière et qui opèrent ces signes ? Quelqu'un m'a affirmé récemment qu'il en avait rencontré un au mont Athos, mais qu'il était bien caché.

Je voudrais citer un texte qui évoque bien cette puissance de la prière. Il m'a été envoyé par l'un de mes amis car, m'écrit-il, « en le découvrant, j'ai pensé à vous ». Donc, saint Jean Chrysostome dit : « Que ceux qui prient sans savoir, écoutent ici. Quand je dis à quelqu'un : "Prie, invoque-le, supplie-le", il me répond : "Je l'ai prié une fois, deux fois, trois fois, dix fois, vingt fois et je n'ai rien obtenu". Mon frère, ne cesse pas de prier jusqu'à ce que tu reçoives ; la fin de la prière est la réception de ce que l'on demande. Quand tu as reçu, alors cesse de demander ; mais tant que tu n'as pas reçu, persévère dans ta demande.

Si tu n'as pas reçu, demande pour recevoir... et quand tu as reçu, rends grâce pour ce que tu as reçu[5]. » Ce texte fera toujours une grande impression sur ceux qui sont travaillés par le désir de la prière, et il éveillera en eux la soif de supplier. Et cependant, il ne dit rien d'autre que ce que Jésus a dit dans l'Évangile à propos de la persévérance dans la prière, chez l'ami importun et la veuve importune. Si les paroles de saint Jean Chrysostome ont une telle force de conviction, c'est qu'elles ont été expérimentées dans la puissance de l'Esprit-Saint.

Il y a des hommes et des femmes qui ont cette intensité de foi et de prière et qui osent miser toute leur vie sur cette audace de la supplication. Ils sont surpris de ce que leur pauvre prière obtient du ciel. Il m'est parfois arrivé de dire à quelqu'un : « Tu sais que tu as le don de la prière et que tu obtiens tout ce que tu demandes à Dieu. » Je connais une religieuse qui a ce don et à qui on vient vraiment « demander la prière ». Une telle parole dite à quelqu'un peut le confirmer dans sa vocation à la prière.

Il faut bien voir la différence qu'il y a entre ce charisme de la prière et un certain appel authentique à chercher Dieu dans le silence de l'oraison. On voit ainsi des hommes qui se retirent dans la solitude pour mieux prier – certains se font même bergers dans les Causses – ; cette vocation est authentique et reconnue par l'Église, qui fait place à l'érémitisme dans son nouveau droit canon. Mais ceux qui ont reçu ce charisme de l'intercession sont souvent cachés au cœur de la cité, ils mènent la vie de tout le monde et extérieurement rien ne les différencie de leurs frères (comme

---

5. Saint Jean Chrysostome, *In Chana,* 10 ; *PG* 51, 458.

le dit la *Didaché*), mais si vous n'y prenez garde, vous ne découvrirez pas ce qui fait le secret de leur vie, car ils se consument littéralement dans la supplication. Je ne trouve pas de meilleure expression pour approcher le mystère de leur prière, « la persévérance brûlante de la prière silencieuse » (*Catéchisme hollandais*, p. 258).

C'est en ce sens que l'on peut parler d'un charisme, car leur intercession est tout orientée vers la venue du Royaume. Sans cesse, ils demandent l'effusion de l'Esprit dans une nouvelle Pentecôte pour le monde : *L'Esprit du Seigneur emplit l'univers*. Du reste, le fond de leur prière est toujours constitué par le *Notre Père*, sans pour cela qu'ils négligent d'autres intentions de prière plus personnelles, qu'on leur confie. Cette mission de prière est austère parce qu'elle est cachée et silencieuse. Elle exige un grand dépouillement car l'orant ne voit pas le résultat de sa prière et, certains jours, il a l'impression de perdre son temps. Les psycho-sociologues diraient que cette vocation n'est pas « gratifiante au niveau des bénéfices secondaires ». En ce sens, il ne faut s'y engager que sur un appel précis du Seigneur (comme pour la vocation au désert) ; alors Il sera lui-même notre unique. Et surtout, nous recevrons la joie, car nous aurons la certitude que Dieu nous veut là, et nous accepterons sans aucune jalousie ni envie une vocation et une mission limitées, alors qu'au fond du cœur, nous avons le désir de porter l'Évangile jusqu'aux limites du monde.

Sans être prophète, je me demande si ce charisme de la foi et de la prière irrésistibles n'est pas un don précis que l'Esprit Saint veut faire à notre époque car elle en a un urgent besoin. Deux signes m'autoriseraient à penser cela. D'abord, la parole de Jésus, à propos de son retour :

Quand le Fils de l'homme reviendra sur terre, trouvera-t-il la foi ? (Lc 18, 8). Sans être pessimiste, il faut bien reconnaître que Dieu est de plus en plus absent du monde. Nous vivons dans un univers où Dieu ne semble guère avoir de place, où la foi est reléguée dans le domaine de la vie privée. Beaucoup de nos contemporains croient pouvoir vivre sans Dieu. Pour être vrai, il faut reconnaître que depuis quelques années, il y a une amorce de renouveau dans le domaine de la foi.

C'est ce second signe qui me fait penser que ce charisme est le plus adapté à notre temps, car nous constatons depuis une quinzaine d'années un véritable renouveau dans la prière. Les manifestations sont bien connues et il est inutile de les rappeler. Mais c'est signe (au sens où le Concile parle des « signes des temps ») que l'Esprit veut nous dire quelque chose aujourd'hui. Peut-être n'est-on pas allé assez loin et assez profond dans ce renouveau de la prière en l'exploitant et en le creusant. On s'est contenté de l'accueillir dans la joie et l'action de grâce (ce qu'il fallait faire, bien sûr !), sans aller jusqu'au bout de cet appel à la prière, sans l'approfondir davantage pour savoir ce que l'Esprit nous disait. Il faut descendre tout au fond pour voir surgir la lumière. En d'autres termes, on n'a peut-être pas assez évangélisé la prière, au sens où Jésus parle de la prière quand il dit qu'il faut se placer sous le regard du Père pour le supplier comme l'ami importun, dans la ligne même de la supplication de la veuve importune qui fléchit l'indifférence du Juge inique.

Le signe montrant que la prière n'a pas atteint cette profondeur et cette force qui renversent les montagnes en les projetant dans la mer, c'est le fait qu'elle ne donne pas les fruits de guérison qu'on est en droit d'attendre d'elle. Une prière humble, confiante et persévérante est toujours exaucée, elle obtient du Père tout ce qu'elle demande et d'abord le plus grand don de Dieu : l'Esprit Saint. Il faut prier jusqu'au moment où l'on obtient ce que l'on demande : c'est le sens même du combat de Jacob qui ne lâche Dieu qu'après avoir été béni, image du combat de la prière, comme celle du mur des Lamentations à Jérusalem, où l'on revient chaque jour présenter ses demandes à Dieu.

On trouve un exemple de cette prière dans la vie de saint Dominique. Il y est question de sa « prière de violence » lorsqu'il implorait le ciel pour arracher quelqu'un au péril de la mort ou de l'inondation. Il est dit qu'il « n'avait recours à cette manière de prier que dans les circonstances où, sous l'inspiration de Dieu, il savait que quelque chose de grand et de merveilleux allait se produire par la vertu de sa prière. S'il ne défendait pas aux frères de prier ainsi, il ne les y exhortait pas non plus[6]. » On le comprend un peu car tous ses frères n'avaient pas cette qualité de foi irrésistible et sa sainteté de vie. On sait que Dominique priait la nuit et prêchait le jour. On trouve aussi chez lui la prière d'imploration. « Il était alors l'objet d'un accroissement de grâce et il obtenait de Dieu pour son ordre les dons du Saint-Esprit, pour lui-même et pour les frères un peu de la suavité délectable qui se trouve dans les actes des béatitudes » (p. 16). Il faut aussi noter l'attitude du corps : le saint « avait les mains jointes, élevées au-dessus de la tête ou légèrement ouvertes, comme pour recevoir quelque chose du ciel » (*op. cit.*, p. 16).

Une telle prière de violence et d'imploration pour le monde est vraiment un don de Dieu. Il faut donc demander

6. *Saint Dominique en prière*, Codex Rosianum, p. 14.

cette grâce pour les hommes. Elle sera toujours le partage d'un petit nombre mais, étant donné l'urgence des besoins aujourd'hui et le fait que bien des hommes reçoivent les arrhes de cette grâce de la prière, il est permis de se demander si l'Esprit Saint ne voudrait pas l'accorder davantage, si nous voulions bien la lui demander, comme le dit le prophète Zacharie à propos du « petit reste » des temps messianiques : *Je répandrai sur tout le peuple un esprit de grâce et de supplication* (12, 10). De plus, le monde a besoin de signes de la puissance de l'Esprit Saint pour croire au Christ vivant et ressuscité. L'Église, qui a reçu mission de lire les signes des temps, de percevoir les appels de l'Esprit en fonction des besoins des hommes d'aujourd'hui, nous invite à prier pour que ce don de la foi soit fait à certains de ses membres et on a envie de dire, comme Moïse : *Plût à Dieu que tout le peuple devienne prophète* (Nb 11, 29). Plus la vie du peuple de Dieu est rude, plus Dieu lui accordera ses dons. Songeons par exemple à tout ce qu'Israël a reçu au temps de l'Exode et de la marche au désert ou de l'exil.

« Quels seraient aujourd'hui les dons particuliers que le Seigneur nous donne ? Ne serait-ce pas la foi qui déplace les montagnes, qui réalise des miracles et qui donne ainsi du poids à l'annonce de l'Évangile. L'histoire de la prédication missionnaire est jalonnée de tels miracles que Jésus annonce déjà : *Voici les signes qui accompagneront ceux qui auront cru : en mon nom, ils chasseront des démons, ils parleront des langues nouvelles, ils prendront dans leurs mains des serpents et s'ils boivent quelque poison mortel, cela ne leur fera aucun mal ; ils imposeront les mains aux malades et ceux-ci seront guéris* (Mc 16, 17-18) » (*Le Feu de l'Esprit*, pp. 43-44).

Il est clair que c'est l'Esprit Saint, et lui seul, donne ce charisme de la foi irrésistible, mais nous pouvons toujours en faire l'objet de notre prière et inviter nos frères à le demander. Il y a une manière très simple d'y collaborer, c'est d'apprendre aux hommes à prier, c'est-à-dire à communiquer avec Dieu. Nous sommes dans un monde où les problèmes de communication entre les hommes sont à l'ordre du jour, pour permettre l'harmonie et l'entente fraternelle. Si nous pouvions faire comprendre aux hommes que les problèmes de communication avec Dieu sont encore plus importants, car ils fondent la relation entre nous, nous n'aurions pas perdu notre temps. Apprendre aux hommes à prier, c'est leur faire découvrir les sources du vrai bonheur et leur ouvrir le chemin d'un monde fraternel. Un des meilleurs moyens pour reconstituer le tissu social est d'aider nos contemporains à prier ensemble et à partager leurs joies, leurs peines et leur vie dans la prière. Que de grâces de réconciliation, de lumière et de guérison nous obtiendrions, si nous nous mettions à deux ou trois, à prier le Père au nom de Jésus.

C'est au sein de ces petits groupes de prière que se discerneront les charismes évoqués. Certains recevront une parole de science pour leurs frères et leur révéleront ce don de la foi irrésistible, reçu de l'Esprit, qui opère des miracles. Pour être en mesure de dire une telle parole à nos frères, il faut que nous ayons reçu nous-mêmes les prémices de ce charisme de prière qui peut aussi bien être accordé à des prêtres, à des religieuses ou à des laïcs. C'est peut-être cela que veut dire saint Pierre lorsqu'il cherche des collaborateurs pour les apôtres et institue les diacres. Il dit alors : « Il faut choisir des gens qui nous aident, parce que nous devons nous consacrer à la prière et au ministère de la parole. » Ce qui revient à dire que les prêtres doivent trouver du temps pour prier et parler de Dieu aux hommes. Prier, apprendre aux autres à prier, susciter des hommes et des femmes de prière, annoncer l'Évangile… voilà autant de tâches prioritaires pour l'Église de notre temps.

7. « A UN AUTRE… LE DON DE GUÉRIR »

A un autre, ajoute Paul, *le seul et même Esprit accorde le don de guérir, à un autre, le pouvoir de faire des miracles* (1 Co 12, 10). Ce pouvoir d'opérer des signes que nous avons déjà évoqué à propos de la guérison du boiteux de la Belle Porte par saint Pierre, est intimement lié à celui de la foi qui déplace les montagnes. C'est toujours dans un climat de foi et de prière intense que ces signes se réalisent, souvent en réponse à une prière fervente. Nous avons déjà évoqué cette parole : « Je te guérirai par la prière et uniquement par la prière » ; je crois qu'elle montre bien le lien entre la puissance de la prière et la guérison. Quelqu'un m'a dit récemment qu'au cours d'une ordination sacerdotale dans une communauté du Renouveau, il s'était produit des conversions, des guérisons intérieures et même corporelles. On le comprend un peu, puisqu'il y a une effusion de l'Esprit Saint : c'est une nouvelle Pentecôte.

Parmi ces dons extraordinaires, l'Église ne craint plus aujourd'hui de parler de la « guérison ». Elle s'est longtemps méfiée de l'extraordinaire, comme elle a été très prudente à propos de l'expérience religieuse, mais aujourd'hui, elle doit bien reconnaître les faits : « Un autre don extraordinaire, dit le cardinal Danneels, est celui de la guérison, tant mentale ou psychologique que même physique. Certaines communautés (il faudrait ajouter certains hommes et femmes) ont aussi le don de guérir ceux qui viennent à elles marqués par les blessures d'un échec grave, de la solitude ou de la maladie. Il n'est d'ailleurs pas rare que la santé physique d'une personne s'améliore sensiblement par l'imposition des mains et la prière commune ; ces gestes nous viennent du Seigneur lui-même et de la première Église. De telles guérisons par la prière ne sont pas nouvelles. Depuis les temps les plus anciens l'Église enseigne que le sacrement du pardon, l'Eucharistie et le sacrement des malades procurent à celui qui les reçoit la "guérison de l'âme et du corps". Même aux époques les plus sensibles à la critique rationaliste, l'Église n'a jamais voulu effacer de ses prières liturgiques cette dimension corporelle de la guérison[7]. »

Ceux qui ont été témoins de ces guérisons physiques ou psychologiques, ou qui en ont été les bénéficiaires, ou encore qui ont prié pour leur réalisation, disent que la guérison des souvenirs et de la mémoire a été une étape irremplaçable sur le chemin de la guérison[8].

Il faut reconnaître que bien des blessures en nous, causées par l'amour-propre, le péché ou par la main des hommes, laissent au fond du cœur une souffrance lancinante qui rejaillit jusque dans notre corps. Plus ces blessures seront dévoilées, reconnues et confessées dans la prière à un frère miséricordieux, et plus elles seront gué-

7. *Le Feu de l'Esprit*, pp. 44-45.
8. Denis LENN et Matthew LENN, *La Guérison des souvenirs. Les étapes du pardon*, Desclée de Brouwer, 1987 (Un des meilleurs livres sur le sujet).

ries par la miséricorde de Dieu. Un peu à la fois, la grâce de la prière s'instaurera dans le patient et lui donnera la joie et la paix du cœur. Saint Jean de la Croix affirmait que les blessures causées par le péché en nous pouvaient être guéries par les blessures de l'amour du Christ, non pas en se refermant, mais en se rouvrant à l'infini, de telle sorte que tout l'être devienne une immense blessure d'amour. Nous ne pouvons pas nous étendre sur le processus même de ces guérisons, car ce n'est pas ici notre propos, mais on ne peut pas les écarter d'un revers de main si on veut être fidèle à ce qu'en dit le Christ ressuscité dans la finale de l'évangile de Marc, lorsqu'il parle des signes qui accompagneront ceux qui ont cru : *En mon nom, ils chasseront les démons, ils parleront des langues nouvelles et ils imposeront les mains aux malades, et ceux-ci seront guéris... Quant aux apôtres, ils partirent prêcher partout : le Seigneur agissait avec eux et confirmait la parole par les signes qui l'accompagnaient* (Mc 16, 17-20).

Là encore, ce n'est pas le lot de tous de recevoir le charisme de la guérison des corps et des âmes, comme tous ne reçoivent pas le don de la foi qui transporte des montagnes. Mais il ne faudrait pas se dispenser de mettre en œuvre des charismes plus ordinaires qui visent aussi la consolidation et la guérison des cœurs. Je crois que ceux qui ont reçu dans leur vie des grâces de guérison intérieure, de consolation ou même de réconfort spirituel dans une épreuve ou une maladie, ne doivent pas les recevoir pour leur propre bénéfice ; c'est vraiment pour leurs frères qu'elles sont données, selon la parole de Paul : *Béni soit Dieu, le Père de notre Seigneur Jésus Christ, le Père des miséricordes et le Dieu de toute consolation ; il nous console dans toutes nos détresses, pour nous rendre capables de consoler tous ceux qui sont en détresse, par la consolation que nous-mêmes recevons de Dieu* (2 Co 1, 3-4).

Il revient à chacun d'entre nous de prier et de découvrir dans le dialogue spirituel le don particulier que l'Esprit nous fait pour le bien de tous. Nous avons déjà évoqué le don de la prière, qu'elle soit prière de supplication ou prière de louange. Pourquoi ne proposerions-nous pas de prier avec des frères malades ou dans l'épreuve, dans la tentation. J'ai souvent remarqué que dire un *Notre Père* ou un *Je vous salue Marie* avec quelqu'un transformait le regard et la relation pour nous remettre sous le regard du Père qui sait ce dont nous avons besoin. D'autres reçoivent un don de compassion ou d'attention aux autres, aux enfants et aux adolescents. Tant d'hommes et surtout de jeunes subissent aujourd'hui des traumatismes et des blessures. Je pense ici à tous ceux qui souffrent d'une carence affective, qui ont connu une authentique guérison dans la prière et un vrai pouvoir de guérir leurs frères. Il y a aussi le don du service généreux et du temps accordé à ceux qui ont grand besoin de parler. Les lieux de prière drainent tout un lot de pauvres et de souffrants qui demandent temps, patience et surtout compassion, sans faiblesse. Certains reçoivent le charisme de consolation des malades, ou de l'encouragement ou de la solidarité avec les pauvres et les opprimés, sans parler de la parole courageuse dans les situations où il faut mettre les points sur les i. Chacun peut trouver le don que Dieu lui a fait et s'il n'en découvre pas, il lui reste le sourire... ce sourire du Christ qui bouleverse le cœur du Grand Inquisiteur de Dostoïveski et qui est un sourire plein de douceur et d'humilité mais qui brûle le cœur de celui qui le regarde.

8. « A UN AUTRE, LA PROPHÉTIE »

Paul évoque plus loin ce don de prophétie qu'il associe à la connaissance de tous les mystères de Dieu et de toute la science pour dire que sans la charité, *tout cela ne lui sert de rien* (1 Co 13, 1-3). Il en va de même de la foi, du parler en langues et de la distribution des biens aux affamés, qui ne valent rien sans l'amour. Mais Paul a quand même un faible pour le don de prophétie, surtout s'il est accompagné d'une recherche de l'amour et donc de l'unité entre les membres du corps. Il va même jusqu'à dire aux Corinthiens qu'ils peuvent aspirer aux dons de l'Esprit et donc les désirer et les demander s'ils ne les ont pas : *Recherchez l'amour ; aspirez aux dons de l'Esprit, surtout à la prophétie* (1 Co 14, 1). C'est en le comparant au don des langues que Paul marque nettement sa préférence pour le don de prophétie, pour la raison bien simple que la prière en langues est utile à l'édification de celui qui la profère, tandis que le don de prophétie édifie et construit la communauté : *Celui qui prophétise édifie l'assemblée... Je souhaite que vous parliez tous en langues, mais je préfère que vous prophétisiez* (1 Co 14, 4-5). Et pour Paul, la prophétie comporte la révélation, la connaissance et l'enseignement (v. 6).

On comprend que Paul ait une préférence pour ce don, car il l'a reçu à un degré exceptionnel, au point qu'il peut écrire : *A me lire, vous pouvez constater quelle intelligence j'ai du mystère du Christ* (Ep 3, 4). Et Paul ajoute qu'il a reçu cette révélation, non pour son bénéfice personnel, mais pour les païens : *Si du moins vous avez appris la grâce que Dieu m'a accordée à votre intention, pour réaliser son plan* (Ep 3, 2). *Ce mystère, Dieu ne l'a pas fait connaître aux hommes des générations passées, comme il vient de le révéler maintenant par l'Esprit à ses saints apôtres et prophètes* (Ep 3, 5).

Ainsi, le charisme de l'apostolat est lié à celui de la prophétie et nous voyons un peu mieux ce que Paul met sous ces mots : *le don de prophétie*. Dans le Nouveau Testament comme dans l'Ancien, la prophétie ne consiste que très occasionnellement à prédire l'avenir, sauf à deux reprises dans les Actes (11, 28 où Agabus, éclairé par l'Esprit, annonce une grande famine, et en 21, 11 où le même Agabus prophétise l'arrestation de Paul). Pour Paul, le prophète est essentiellement un homme (ou une femme, 1 Co 11, 5) qui parle au nom de Dieu sous l'inspiration qui révèle le mystère de son dessein (13, 2), sa volonté dans les circonstances présentes. Nous avons une précision fondamentale sur la mission du prophète. Il n'a pas seulement le charisme de faire connaître le dessein de Dieu, ce que Jésus nous dit à peu près des secrets du Père – *Je vous appelle amis parce que je vous ai fait connaître tout ce que j'ai appris auprès de mon Père* (Jn 15, 15) –, sa mission est plus ponctuelle et plus précise. Il nous aide à lire et à déchiffrer les événements de notre histoire et de celle du monde, à la lumière du dessein de Dieu, non pas pour juger le monde, mais pour le sauver. Le prophète est un homme qui médite jour et nuit la parole de Dieu, pour la dévorer et invoquer le nom du Seigneur (Jérémie) et à la lumière de cette parole, il éclaire la route de ses frères : *Ta Parole est une lampe sur mes pas* (Ps 118, 105). En d'autres termes, il éclaire la Parole de Dieu vécue dans l'existence par la Parole proférée et venant d'en haut. Il apprend aux hommes à lire « les signes des temps » – à les discerner – et, en ce sens, on comprend que Paul lui ait adjoint le charisme du discernement des esprits : *A un autre la prophétie, à un autre le discernement des esprits* (1 Co 12, 10). Nous n'abordons pas ici ce don du discernement des esprits, car nous l'étudierons à propos de la troisième invocation du *Notre Père* : *Que ta volonté soit faite sur la terre comme au ciel.* Tout fidèle chrétien doit s'exercer à acquérir cette aptitude à découvrir la volonté du Père par le discernement des différents esprits. Mais ici, il s'agit du discernement à un degré éminent qui relève aussi de la paternité ou de l'aide spirituelles. Nous voyons combien la prophétie est proche du discernement, car le prophète édifie, exhorte et encourage (1 Co 14, 3).

Paul note aussi qu'il découvre le secret des cœurs, don éminent de ceux qui ont à guider leurs frères sur le chemin de la perfection (nous y reviendrons) : *Si, au contraire, tous prophétisent, le non-croyant ou le simple auditeur qui entre se voit repris et jugé par tous, le secret de son cœur est dévoilé ; il se jettera la face contre terre, il adorera Dieu et il proclamera que Dieu est réellement au milieu de vous* (1 Co 14, 24-25).

A ce don de prophétie, j'associerai volontiers le charisme de l'Écriture, qui comporte un large éventail, entre celui qui lit la Parole avec saveur pour la méditer, la prier et la contempler, et celui qui a le don de la partager avec ses frères dans l'homélie ou l'enseignement plus long, en passant par celui qui l'expose par écrit. Il y a des gens qui ont le don de comprendre l'Écriture sans être parmi les spécialistes de l'exégèse, les « mages ». On peut rencontrer ainsi des « bergers » qui savourent l'Écriture. Lorsqu'on leur propose une page d'Évangile, ils la goûtent dans la prière et, surtout, l'Esprit leur fait le don d'application à la vie concrète, de telle sorte qu'ils discernent comment la mettre en pratique. Ceux qui sont allés dans les communautés de base en Amérique latine disent combien ils ont été frappés par cette intelligence de l'Écriture, abordée par des gens simples qui n'ont pas fait d'exégèse. Ils font souvent des trouvailles remarquables, même s'il y a des minimes erreurs. Du reste, Paul dit clairement aux Corinthiens qu'ils doivent accepter de se laisser guider dans ce domaine : « La règle du discernement revient en définitive à l'Apôtre et à l'Église. » L'essentiel en ce domaine, comme dans bien d'autres et surtout en celui de la morale, n'est pas de ne pas dérailler, mais d'être assez souple et donc assez humble pour se laisser remettre sur les rails : « L'erreur est humaine, l'entêtement est diabolique. »

Ce qui se passe dans les pays du Tiers Monde devrait avoir des répercussions dans nos pays de vieille chrétienté, où l'on est tellement habitué à l'Évangile qu'on ne s'émerveille plus devant la puissance de conversion qu'il contient. Il ne faut pas avoir peur de le mettre dans les mains des gens simples, c'est d'abord à eux que sont révélés les mystères du Royaume : *Je te bénis, Père, Seigneur du ciel et de la terre, d'avoir caché cela aux sages et aux habiles et de l'avoir révélé aux tout-petits* (Mt 11, 25). Nous serons surpris et émerveillés de voir combien l'Esprit les éclaire par le dedans. Peut-être trouverons-nous parmi eux ceux qui ont reçu le charisme du ministère théologique ? Ce qui est sûr, c'est que la Parole de Dieu ne restera pas sans effet dans le cœur de tous, car elle est efficace et opère ce qu'elle annonce. La plupart du temps, c'est cette parole de Dieu qui allume dans notre cœur le feu de la prière.

8

UNE VOIE INFINIMENT SUPÉRIEURE :
L'AMOUR

Après avoir énuméré tous les charismes, Paul réaffirme avec force que *c'est le seul et même Esprit qui les produit, distribuant à chacun ses dons selon sa volonté* (1 Co 12, 11). Puis vient une longue tirade où il utilise l'image du corps pour montrer la dépendance organique de chaque membre. En terminant ce chapitre 12, il énumère à nouveau les différents membres : apôtres, prophètes, enseignants, puis les dons divers : miracles, guérisons, assistance, direction, langues, etc. Tout le monde, dit-il, ne reconnaîtra peut-être pas son visage dans ces ministères et ces dons. C'est alors qu'il marque une rupture avec tout ce qu'il vient de dire, pour nous faire entrer dans un monde nouveau. Le ton change, il ne s'agit plus de savoir si on a tel ou tel charisme, mais il faut *aspirer aux dons les meilleurs. Et de plus, je vais vous indiquer une voie infiniment supérieure* (1 Co 12, 31). C'est alors que vient l'Hymne à la charité de la sainteté, ou l'équivalent du Discours sur la montagne (en Matthieu, 5 et sq.) avec les Béatitudes.

1. PAS UNE VOIE AU RABAIS

Avant de contempler cette voie supérieure de l'amour et voir en quoi elle consiste, il faut bien comprendre ce qu'elle n'est pas (comme Paul définit l'amour par ce qu'il n'est pas). La voie de l'amour n'est pas une voie au rabais par rapport aux autres charismes. En caricaturant la pensée de Paul, certains seraient amenés à penser et même à dire « nous n'avons pas toutes ces aptitudes » : *tous sont-ils apôtres ? Tous prophètes ? Tous enseignent-ils ? Tous font-ils des miracles ? Tous interprètent-ils ?* (1 Co 12, 29). Bien, puisque nous ne sommes pas parmi les sur-doués de la vie apostolique et que nous ne nous reconnaissons dans aucun de ces ministères, alors acceptons d'être à notre humble place les témoins de l'amour. Je crois que cette réaction est profondément vraie et juste, mais elle n'est en aucun cas un constat d'inaptitude et d'incapacité dans la résignation, pour la bonne raison que personne n'est dispensé de la voie de l'amour, c'est-à-dire de la sainteté, même les prophètes, les apôtres et les contemplatifs. Ceux-là, et beaucoup plus que les autres, doivent être brûlants d'amour. Ce qui revient à dire qu'un prêtre, un théologien, un prophète, une éducatrice, une hospitalière qui ne sont pas des saints – s'ils n'ont pas l'amour – brassent du vent, ou pour dire comme Paul, sont « un métal qui résonne, une cymbale retentissante », en d'autres termes, ils font « beaucoup de bruit et pas beaucoup de bien ». On jette de la poudre aux yeux, mais ce n'est pas l'or pur de l'amour : c'est du clinquant doré. Il y a les fruits de l'Esprit ou les charismes qui ne font pas de bruit (Mgr Danneels) par rapport à certains charismes clinquants et dont les fruits sont maigres.

Il faut souvent méditer ces paroles de Paul où il reprend tous les charismes qu'il a cités et montre leur inanité ou leur vanité s'ils ne sont pas informés ou imprégnés par l'amour. Évidemment, il manie avec art le paradoxe, car on voit mal qu'un homme comme Maximilien Kolbe livre son corps aux flammes du four crématoire sans avoir l'amour, mais tout est possible et on a vu des Cathares se laisser brûler pour défendre leur foi et d'autres, qui n'avaient pas l'amour, se livrer pour en tirer orgueil. En ce sens, Paul veut nous avertir et nous mettre en garde, pour que nous ne prenions pas pour argent comptant la fausse monnaie de la générosité qui n'est pas l'amour. En ce domaine, les contrefaçons peuvent donner le change et il n'est pas rare que l'on prenne de la verroterie pour du cristal. Paul veut faire tomber les masques et les apparences de dévouement pour que le vrai visage de l'amour soit dévoilé : *Quand je parlerais en langues, celles des hommes et celle des anges, s'il me manque l'amour, je suis un métal qui résonne, une cymbale retentissante. Quand j'aurais le don de prophétie, la connaissance de tous les mystères et de toute la science, quand j'aurais la foi la plus totale, celle qui transporte les montagnes, s'il me manque l'amour, je ne suis rien. Quand je distribuerais mes biens aux affamés, quand je livrerais mon corps aux flammes, s'il me manque l'amour, je n'y gagne rien* (1 Co 13, 1-3).

Ces paroles font toujours grande impression quand on les entend, surtout quand elles touchent notre cœur : elles le transpercent et le mettent à nu. C'est une « opération vérité » où nous sommes obligés de voir les vrais motifs de notre action : « S'il n'y a pas l'amour, je ne suis rien, non seulement je n'ai rien, mais je n'ai aucune consistance et je ne suis rien. » Cela est bien compréhensible puisque Dieu est amour, c'est son être et son nom propre, au sens où il n'est qu'amour. Et, dans la mesure où l'amour de Dieu nous pénètre et nous envahit, nous trouvons en lui notre être et notre consistance d'homme. Un homme ne se définit pas par ses charismes, son activité, son ministère, ses dons, mais par son être même. S'il a l'amour, il a tout et on peut dire qu'il est Tout. Et s'il ne l'a pas, il doit dire avec Paul : « Je ne suis rien. Cela ne me sert de rien ! »

Il faudra essayer de dire ce qu'est l'amour et c'est cela le plus difficile, pour ne pas dire l'impossible, au point que Paul le définit par ses attributs et surtout, par ce qu'il n'est pas. C'est pourquoi, nous le verrons plus loin, la meilleure façon de proclamer que Dieu est amour est de confesser que nous sommes le non-amour. Mais avant d'en arriver là, je voudrais prendre l'exemple de la vie de Thérèse de Lisieux, où justement, elle a découvert sa vocation et sa mission au cœur de l'Église, à propos de l'amour. Nous verrons alors quel est le rôle des saints dans la construction du Corps, au même titre que celui des évangélistes et des catéchètes.

2. « MA VOCATION, C'EST L'AMOUR »

« Les saints – y compris ceux qui vivent leur sainteté dans l'anonymat de l'existence quotidienne – sont plus indispensables à l'annonce de l'Évangile que les grands prédicateurs, car l'amour est le premier de tous les charismes[1]. » Sainte Thérèse de Lisieux en est l'illustration la plus étonnante puisqu'elle est devenue avec saint François Xavier, celui qui est considéré comme le plus grand évangélisateur, la patronne des missions. C'est pour un missionnaire qu'elle marchait lorsqu'elle était épuisée et se traînait quand même dans le cloître, aux derniers jours de sa vie. Son témoignage est très intéressant, car il s'articule justement à la charnière de tous les charismes énumérés par saint Paul au moment où il va dire d'une certaine manière : « Ces charismes sont très importants car ils édifient le Corps, mais n'y faites quand même pas trop attention, ils ne sont pas le dernier mot de la hiérarchie du ciel. » Et c'est là que vient le texte que nous avons déjà cité : *Maintenant, je vais vous indiquer une voie infiniment supérieure... aspirez aux dons les plus parfaits.*

Dans le cas de Thérèse, il s'agit d'une voie infiniment supérieure et non pas d'une voie au rabais, comme si elle n'avait pas d'autre issue que de se réfugier dans un cloître, en rasant les murs, dans sa « petite voie ». C'est dans le manuscrit « C », constitué par une lettre de Thérèse à sa marraine, sœur Marie du Sacré-Cœur, qu'elle rend compte de sa retraite et nous donne une des plus belles pages de l'anthologie spirituelle sur la vocation à l'amour. Elle dit elle-même qu'« à l'oraison, ses désirs lui faisaient souffrir un véritable martyre » (*Manuscrits autobiographiques*, p. 228. Éd. 1959). C'est à ce point exact que nous comprenons que l'amour est la voie supérieure par excellence. Thérèse souffrait à l'oraison parce que ses désirs étaient infinis : elle aurait voulu réaliser toutes les vocations et

1. *Le Feu de l'Esprit*, p. 36.

avoir tous les charismes décrits par saint Paul. Elle reconnaît qu'elle aurait dû se contenter d'être carmélite : « être ton Épouse, ô Jésus, être carmélite, être par mon union avec toi la mère des âmes, cela devrait me suffire… Il n'en est pas ainsi » (*M.A.*, p. 226).

Elle va alors passer en revue toutes les vocations : « Je sens en moi d'autres vocations, je me sens la vocation de guerrier, de prêtre, d'apôtre, de docteur, de martyr (il y a là les charismes de Paul), enfin, je sens le besoin, le désir d'accomplir pour toi, Jésus, toutes les œuvres les plus héroïques » (*M.A.*, p. 226).

Puis elle va détailler dans chaque vocation ce qu'elle se sent appelée à réaliser. Il faut surtout noter la place importante donnée aux désirs dans sa lettre à sœur Marie du Sacré-Cœur. Paul dit en Romains 8, 5 : *Ceux qui vivent dans l'Esprit désirent* (aspirent à) *ce qui est spirituel* : ce qui revient à dire que les aspirations, les désirs trahissent au niveau de la conscience claire la présence de l'Esprit dans les profondeurs du cœur. Ainsi, quand Thérèse dit qu'à l'oraison ses désirs lui faisaient souffrir un véritable martyre, il faut croire que l'amour emprisonné dans son cœur était d'une très grande intensité. Après avoir énuméré les différentes vocations, elle poursuit : « Jésus, Jésus, si je voulais écrire tous mes désirs, il me faudrait emprunter ton livre de vie, là sont rapportées les actions de tous les saints et ces actions, je voudrais les avoir accomplies pour toi » (*M.A.*, p. 227-228).

On a envie de lui dire ce qu'elle dit d'elle-même : « Ô mon Jésus ! A toutes mes folies que vas-tu répondre ? » (*M.A.*, p. 220). « Soyez un peu sage, ne mettez pas le feu à votre toque, et acceptez simplement d'être carmélite. »

Mais cela ne lui suffit pas. C'est alors qu'elle ouvre les épîtres de Paul et lit les chapitres 12 et 13 de la première lettre aux Corinthiens, où il dit que tous ne peuvent pas être apôtres, évangélistes ou docteurs. Mais la réponse ne comblait pas ses désirs et ne lui donnait pas la paix. Elle descend encore plus bas et plus profond et elle finit par trouver ce qu'elle cherchait. Il est intéressant de noter ici que la clé ultime de cette trouvaille, au-delà des épîtres de Paul (qui ont été comme un révélateur), vient d'une parole de saint Jean de la Croix, traduite par elle : « Ainsi m'abaissant jusque dans les profondeurs de mon néant, je m'élevai si haut que je pus atteindre mon but » (*M.A.*, p. 228. Saint Jean de la Croix, *Deuxième Cantique sur une extase*).

« Sans me décourager, je continuai ma lecture et cette phrase me soulagea : *Recherchez avec ardeur les dons les plus parfaits, mais je vais encore vous montrer une voie plus excellente*. Et l'apôtre explique comment tous les dons les plus parfaits ne sont rien sans l'amour… Que la charité est la voie excellente qui conduit sûrement à Dieu » (*M.A.*, pp. 228-229).

Enfin, Thérèse avait trouvé le repos car elle avait trouvé sa vocation et sa place dans l'Église. Et cette place, c'est Dieu qui la lui a donnée. On dit habituellement que c'est la lecture de la lettre aux Corinthiens qui lui a permis de découvrir sa vocation ; en fait, si l'on veut être fidèle au texte, il faut aller plus loin et plus profond. Il faut lire ces paroles dans le silence brûlant de la prière, afin que l'Esprit lui-même les inscrive dans notre cœur en lettres de feu et nous révèle notre propre vocation : « La charité me donna la clé de ma vocation. Je compris que si l'Église avait un corps composé de différents membres, le plus nécessaire, le plus noble de tous ne lui manquait pas, je compris que l'Église avait un cœur et que ce cœur était brûlant d'amour. Je compris que l'Amour seul faisait agir les membres de l'Église, que si l'Amour venait à s'éteindre, les apôtres n'annonceraient plus l'Évangile, les martyrs refuseraient de verser leur sang... Je compris que l'Amour renfermait toutes les vocations, que l'Amour était tout, qu'il embrassait tous les temps et tous les lieux, en un mot, qu'il est éternel ! Alors, dans l'excès de ma joie délirante, je me suis écriée : ô Jésus, mon Amour, ma vocation, enfin je l'ai trouvée. Ma vocation, c'est l'Amour... Dans le cœur de l'Église, ma Mère, je serai l'Amour, ainsi je serai tout » (*M.A.*, p. 229).

Nous sommes ici devant une des plus belles pages de l'histoire de la sainteté et même de l'histoire de l'Église tout court, car nous pouvons avoir une autre vocation dans l'Église, comme celle de prêtres, de missionnaires ou d'enseignants, mais nous ne serons jamais dispensés de la folie de l'amour. C'est la puissance de l'amour qui donnera à toute notre existence son efficacité, à l'intérieur de chacune de nos vocations propres.

3. Ainsi, les saints « évangélisent »...

Et c'est là que nous découvrons le sens ultime d'une vocation à l'amour contemplatif comme celle de Thérèse et de tous ceux qui se consacrent à la prière. Loin d'être une vocation au rabais, c'est une vocation à l'universel, un appel à embrasser toutes les vocations dans l'amour. Chez Thérèse, l'amour était tellement intense qu'elle n'aurait pu se satisfaire d'une vocation particulière, elle aurait voulu les embrasser toutes. C'est à ce point exact que l'Esprit va intervenir dans sa vie. Comme il avait poussé François-Xavier à partir jusqu'aux extrémités du monde connu alors, il va immobiliser Thérèse dans le périmètre étroit d'un petit carmel, afin que l'intensité de l'amour soit propulsé au cœur de tous les membres du Corps avec d'autant plus de force qu'il est comprimé dans son cœur. L'amour peut être tellement intense dans le cœur d'un homme qu'il l'immobilise dans le silence et la prière. C'est de cette manière que les saints évangélisent, comme nous le dirons plus loin.

On pense ici à ce qui est écrit sur l'urne contenant les restes de saint Ignace, dans l'église du Gesù, à Rome. C'est un jésuite du XVIIᵉ siècle qui a dit cela dans une formule lapidaire : « N'être pas limité, même par l'immense, trouver cependant sa place dans l'infime, cela est divin[2]. » Comme Ignace de Loyola, Thérèse de Lisieux était « impatiente des limites[3] », mais capable de passer sa vie entre les quatre murs d'un petit carmel, et pour Ignace entre les murs d'une petite chambre de Rome, tout en ayant le désir de faire connaître le Christ à tous les hommes et de permettre à l'amour de circuler jusqu'aux derniers membres du Corps mystique de Jésus. « L'immense », c'est l'amour ; « l'infime », c'est le corps de l'amour ou le discernement pour découvrir la vocation.

Les saints ne sont pas limités par l'immense, leur amour actif – même s'il n'agit pas en des œuvres extérieures – prophétise jusqu'aux extrémités de la terre, même lorsqu'il

---

2. J.-Cl. DHÔTEL, *Qui es-tu, Ignace de Loyola ?*, Supplément à *Vie chrétienne*, n° 155, mars 1978, p. 70.
3. G. FESSARD, *Dialectique des Exercices spirituels*, Aubier, 1956, p. 175.

se vit dans les limites de l'infime. Comme dit le poète : « La vie humble, aux travaux ennuyeux et faciles, est une œuvre de choix qui veut beaucoup d'amour. » L'essentiel est de permettre à l'amour d'irriguer la totalité du Corps de l'Église et par elle, le monde, quels que soient les canaux que cet amour emprunte. Dans ce cas, la seule hiérarchie n'est pas celle des charismes, mais celle de l'amour et, en ce domaine, personne n'est dispensé d'aimer, même s'il est apôtre, pasteur, prophète ou à la tête d'une communauté.

En d'autres termes, la hiérarchie de l'amour est celle de la sainteté : « Au soir de cette vie, dit saint Jean de la Croix, vous serez jugés sur l'amour. » C'est en ce sens que l'on peut parler d'une « certaine » évangélisation, au sens où l'amour engendre une vie nouvelle, bien que le terme d'« évangélisation » soit impropre pour désigner la vocation de Thérèse. A proprement parler, une carmélite n'évangélise pas, mais elle sanctifie l'Église. A côté du charisme de l'évangélisation et de la catéchèse qui sont indispensables à l'Église, il y a le charisme de la sanctification. Comme dit Paul, tous les charismes ne suffisent pas sans l'amour. L'annonce de l'Évangile ne pourra se faire sans le témoignage des saints.

« Les saints sont un don que Dieu fait à son Église, don gratuit, pour lequel nous ne pouvons que prier, car il n'existe ni école, ni méthode pour la formation des saints. Ceux-ci annoncent l'Évangile surtout par le témoignage muet de leur vie ; ils rayonnent le Christ comme un poêle au foyer ; tout le monde vient se mettre autour du feu pour se réchauffer. Ce qui fait le rayonnement des saints, c'est sans doute la profondeur de leur foi et la fermeté de leur espérance, c'est plus encore l'intensité de leur amour.

L'amour porte son fruit comme une maman porte son fruit, sans précipitation, patiemment et avec tendresse, jusqu'au jour de la naissance. C'est de cette manière que Marie fut évangélisatrice, c'est de cette manière encore que moines et moniales évangélisent ; ainsi l'ont fait par exemple toutes les carmélites, depuis Thérèse d'Avila et Thérèse de Lisieux, jusqu'à Édith Stein[4]. »

Quand nous parlons des saints, nous ne pensons pas seulement à ceux qui ont été canonisés – aux grands saints – mais aussi à tous ceux qui vivent et ont vécu leur sainteté dans l'anonymat de leur existence quotidienne, comme nous l'avons dit plus haut. Ceux-là, nous dit l'Église, sont aussi indispensables à l'annonce de l'Évangile que les grands prédicateurs, car l'amour est le premier des charismes. Après avoir énuméré tous les dons faits aux chrétiens, Paul écrit : *Je vais vous indiquer une voie infiniment supérieure... S'il me manque l'amour, je ne suis rien. L'amour ne disparaît jamais. Les prophéties ? Elles seront abolies. Les langues ? Elles prendront fin. La connaissance ? Elle disparaîtra. Recherchez donc l'amour* » (1 Co 12, 31 ; 13, 2.8 ; 14, 1).

4. « RECHERCHER L'AMOUR »

Lorsqu'on entend Paul parler de l'amour et de la place centrale – pour ne pas dire exorbitante – qu'il tient dans la vie de l'Église et qu'on entend ce qu'en dit Thérèse comme son unique raison de vivre, une question nous brûle les lèvres : « Mais qu'est-ce donc que l'amour ? » Et

4. Cardinal Godfried DANNEELS, *Le Feu de l'Esprit*, p. 36.

la parole de Paul qui nous conseille de *rechercher l'amour* (1 Co 14, 1) ne nous sécurise pas davantage. S'il faut le rechercher, c'est donc qu'on ne le possède pas et qu'il ne suffit pas de le reconnaître en nous, comme un autre charisme. Les choses se compliquent lorsqu'on lit ce que Paul va dire de l'amour, au ch. 13, v. 4. Après avoir proclamé hautement que *sans l'amour, je n'ai rien et ne gagne rien* (v. 3), il va tenter d'en parler.

Mais ce qui est impressionnant, c'est que « l'amour n'est pas défini de façon abstraite, mais par une série de verbes, c'est-à-dire concrètement, par l'action qu'il suscite » (TOB, note f, p. 518). *L'amour prend patience, l'amour rend service, il ne jalouse pas, il ne plastronne pas, il ne s'enfle pas d'orgueil, il ne fait rien de laid, il ne cherche pas son intérêt, il ne s'irrite pas, il n'entretient pas de rancune, il ne se réjouit pas de l'injustice, mais il trouve sa joie dans la vérité, il excuse tout, il croit tout, il espère tout, il endure tout. L'amour ne disparaît jamais* (1 Co 13, 4-8).

L'amour est défini plutôt par ce qu'il n'est pas que par ce qu'il est. Dans tout ce chapitre, il s'agit bien sûr de l'amour fraternel. L'amour pour Dieu n'est pas directement visé (TOB, note b, p. 517), mais il est toujours implicitement présent, surtout au verset 13, en liaison avec la foi et l'espérance : *Maintenant donc ces trois-là demeurent, la foi, l'espérance et l'amour, mais l'amour est le plus grand* (1 Co 13, 13). Ainsi, pour Paul, l'amour est une réalité mystérieuse dont il ne cherche pas à atteindre ni à définir la nature mais surtout à dévoiler les manifestations : *L'amour prend patience, rend service, ne pense pas au mal, ne jalouse pas et couvre tout.* Il y a des comportements que l'homme ne peut pas avoir s'il a l'amour.

De même, la présence de l'amour en lui doit se montrer par des attitudes concrètes de service, de douceur, de délicatesse et d'humilité.

Pour prendre une comparaison assez évangélique, on peut dire que Paul vise surtout les fruits de l'amour avant de décrire l'arbre de l'amour. Ce sont les charismes qui ne font pas de bruit et que l'on appelle avec Paul les fruits de l'Esprit. Ces fruits sont donnés à tous et en communauté. Paul les énumère dans sa lettre aux Galates : *Amour, joie, paix, patience, bonté, bienveillance, foi, douceur, maîtrise de soi* (Ga 5, 22). Ailleurs, il donne encore d'autres listes qui se recoupent partiellement : *Bonté, justice, vérité* (Ep 5, 9) ; *Justice, piété, foi, amour, persévérance, douceur* (1 Tm 6, 11) ; *Justice, paix et joie dans l'Esprit Saint* (Rm 14, 17). Il est intéressant de noter la liaison entre l'amour et l'Esprit Saint. *Pureté, science, patience, bonté, amour sans feinte, parole de vérité, puissance de Dieu* (2 Co 6, 6-7).

De ces différents textes, il ressort que l'amour produit dans le cœur des disciples et des communautés la joie du service, l'écoute mutuelle dans la patience et la paix du cœur. Ces hommes et ces communautés sont construits dans l'amour dont parle Paul avec ardeur dans son Hymne à la charité (1 Co 13). Il faut même être très attentif à l'arbre de l'amour, c'est-à-dire à sa source, autant qu'à ses fruits, sinon on invitera les chrétiens à réaliser les œuvres de l'amour avant d'avoir semé dans leur cœur la petite graine de la charité qui deviendra un grand arbre. Ce qui revient à dire que pour récolter les fruits de l'amour dont parle Paul, il faut avant tout que l'amour soit enraciné dans le cœur, sinon on imite l'amour par des efforts stériles et décourageants qui n'ont rien à voir avec l'amour de

Dieu, répandu dans nos cœurs par l'Esprit Saint. On essaie d'imiter les saints en accomplissant des œuvres héroïques qui sont produites par la seule tension de la volonté et, ne correspondant pas à la volonté de Dieu sur nous, n'ont pas beaucoup de prix à ses yeux. Vivre l'amour, ce n'est rien d'autre que de se faire disciple de Jésus doux et humble de cœur (Mt 11, 29), c'est, comme dit Thérèse, « aimer avec le cœur même du Christ », c'est être avec lui homme abandonné à Dieu et ouvert aux autres, homme libre et sans artifice, tout à la fois exigeant et miséricordieux, fort et tendre, homme d'intériorité et accessible à tous. Le contraire de l'homme violent, agressif, centré sur lui-même et sensible aux autres (Ga 5, 19-21). Si le Christ avait cette douceur et cette humilité, c'est parce qu'à tout instant, il la recevait du Père dans la prière.

Cette distinction entre les fruits de l'amour et l'amour lui-même est fondamentale dans la vie spirituelle et la vie morale, et la confusion entre les deux niveaux (ou la contamination) peut être catastrophique et source de découragement. Que de fois il nous arrive d'entendre des homélies ou des conférences où l'on rappelle aux chrétiens que sans l'amour, leur vie est un airain sonnant. Et l'on a raison de leur dire, mais c'est insuffisant si, en même temps, on ne leur dit pas d'où vient l'amour et comment le chercher pour l'obtenir. Nos discours sont souvent pélagiens ou semi-pélagiens car ils reposent uniquement sur l'effort de la volonté : comme si, pour aimer, il suffisait de le vouloir. Bien des efforts pour aimer sont désespérés et désespérants, pour ne pas dire décourageants, parce qu'ils procèdent très peu de l'amour et beaucoup de la volonté de nous convaincre que nous aimons : ce qui revient à vouloir faire les œuvres de l'amour avant d'avoir planté l'arbre de l'amour.

216

Comme le dit le Père Molinié, aimer, ce n'est pas d'abord être héroïque dans le désintéressement et l'oubli de soi, cela vient après ; aimer, c'est d'abord se laisser attirer, captiver et séduire par l'amour. En d'autres termes, c'est nous convaincre de la parole de saint Jean : *Ce n'est pas nous qui avons aimé Dieu, c'est lui qui nous a aimés le premier et qui a envoyé son Fils en victime d'expiation pour nos péchés* (1 Jn 4, 10) (verset central du Nouveau Testament). Il est quand même paradoxal que la première parole au sujet de l'amour soit pour affirmer que nous ne savons pas aimer. Si on le disait plus fortement et plus fréquemment aux chrétiens, bien des choses changeraient, à commencer par la prise de conscience de ce que, sans le Christ, ils ne peuvent rien faire et surtout pas aimer (Jn 15, 5). Il en va de l'amour comme de la prière et, en paraphrasant saint Paul, nous pourrions dire : « Nous ne savons pas aimer comme il faut » (cf. Rm 8, 26).

Celui qui a compris cela est délivré métaphysiquement – et cela demande une véritable lumière sur la situation du pécheur – car il peut alors reconnaître en Dieu la source de l'amour et aimer en vérité. On ne construit pas l'amour et on ne fabrique pas la charité, mais on la reçoit dans un cœur humble et pauvre et c'est pourquoi Paul pourra dire que l'amour ne s'enfle pas d'orgueil et n'est pas possessif. Ce n'est pas surprenant : il avait reconnu la source de l'amour dans le visage du Ressuscité qui lui était apparu sur le chemin de Damas.

Il pourra dire alors : *L'amour de Dieu a été répandu dans nos cœurs par l'Esprit Saint qui nous a été donné* (Rm 5, 5). Il faut reconnaître la source de l'amour dans le don que le Père et le Fils se font d'eux-mêmes et qui a la consistance d'un visage personnel : le Saint-Esprit. Il faudrait plutôt parler d'une étreinte entre le Père et le Fils qui engendre la personne de l'Esprit Saint.

Il ne faudrait pas croire que cet amour reçu, accueilli et répandu dans le cœur de l'homme par l'Esprit Saint, ne requiert pas la collaboration de sa liberté et donc de sa volonté. Bien au contraire, l'homme devra agir intensément pour devenir accueillant à l'amour, il devra se dépouiller de toutes ses prétentions d'orgueil, de grandeur, de suffisance et de possession, en un mot, être creusé en profondeur par la kénose, pour permettre à l'amour de circuler librement en lui. Mais cet agir de l'homme aura un caractère propre, il sera animé par le dedans, par l'action de l'Esprit lui-même qui l'invitera par des suggestions fines et délicates à se mettre à l'œuvre et lui donnera la force de la réaliser. Il y a un va-et-vient continuel, en un mot, un dialogue incessant entre ce que Dieu veut réaliser en nous et par nous et la collaboration qu'il attend de nous. Nous croyons que c'est dans la conjonction entre l'agir de Dieu et notre réponse, ou entre la grâce et la liberté, que se réalise l'union à Dieu dans l'action, et que l'on peut parler de prière continuelle, au sens où l'on disait d'Ignace qu'il était « contemplatif dans l'action ».

5. S'OFFRIR A L'AMOUR

Je ne trouve pas de meilleure expression pour approcher cette symbiose entre l'action de Dieu et l'action de l'homme, entre la proposition de Dieu et notre demande, que le verbe « s'offrir ». De la part de l'homme, il exprime une prise de conscience de ce que l'amour vient de Dieu, c'est une réponse à une initiative d'amour. Et, en même temps, il traduit de la part de l'homme un désir de mobiliser tout son être, ses énergies et ses capacités pour accueillir activement cet amour. S'offrir, c'est ce que l'homme peut faire de plus vrai et de plus libre, en face de l'amour de Dieu. En parlant de l'amour de la Vierge, le Pape a une très belle formule que l'on pourrait tout aussi bien appliquer à l'Amour et au Saint-Esprit : « Et tout cela peut s'inclure dans l'expression "offrande de soi". L'offrande de soi est la réponse à l'amour d'une personne et en particulier à l'amour de la mère[5]. »

Pour illustrer ce que nous venons de dire et surtout, afin de poursuivre dans le sillage de Thérèse de Lisieux, nous voudrions citer une de ses pages où elle rapporte comment les choses se sont passées lorsqu'elle a découvert que sa vocation était l'amour. On penserait qu'immédiatement, elle va redoubler d'effort, pour aimer, un peu comme si elle voulait être à la hauteur de ce que Dieu lui demande et tirer de son propre cœur l'amour qu'elle veut lui donner. Elle va agir, mais dans le sens d'une offrande à l'amour, d'un acte de liberté, sachant qu'elle ne peut rien faire d'autre que de s'offrir les mains vides. Elle va d'abord opposer cette *offrande à l'amour à l'Offrande à la Justice de Dieu* qui était pratiquée à l'époque dans son carmel. Elle trouve cette offrande à la justice grande et généreuse, mais elle est loin de se sentir portée à la faire. Cela prouve une grande maturité spirituelle et un sens exact de la vie dans l'Esprit.

Quand Thérèse parle de l'amour, il s'agit toujours d'accueillir et d'« accepter l'amour infini. Ô mon Dieu, votre

5. JEAN-PAUL II, *Redemptoris Mater*, n° 45, p. 98.

amour va-t-il rester en votre cœur ? Il me semble que si vous trouviez des âmes s'offrant en victimes d'holocauste à votre amour, vous les consumeriez rapidement, il me semble que vous seriez heureux de ne point comprimer les flots d'infinie tendresse qui sont en vous... Ô mon Jésus ! Que ce soit moi cette heureuse victime, consumez votre holocauste par le feu de votre Divin Amour » (*M.A.*, p. 210).

Dès qu'un homme s'offre ainsi à l'amour, il lui arrive exactement ce qui est arrivé à Thérèse. On peut dire la même chose du « pacte avec la vérité » ou l'offrande à la lumière. Dès qu'on fait ce pacte, Dieu nous montre la part de ténèbres qui, dans notre cœur, fait obstacle à l'invasion de la lumière. Voici ce que dit Thérèse de son offrande à l'amour miséricordieux : « Ma Mère chérie, vous qui m'avez permis de m'offrir ainsi au Bon Dieu, vous savez les fleuves ou plutôt les océans de grâce qui sont venus inonder mon âme... Ah ! Depuis cet heureux jour, il me semble que l'Amour me pénètre et m'environne, il me semble qu'à chaque instant, cet Amour miséricordieux me renouvelle, purifie mon âme et n'y laisse aucune trace de péché... Oh ! Qu'elle est douce, la voie de l'Amour... Comme je veux m'appliquer à faire toujours avec le plus grand abandon, la volonté du Bon Dieu » (*M.A.*, p. 211).

On sait que Thérèse donnera « corps » à cette oblation dans son célèbre « Acte d'offrande à l'Amour miséricordieux », écrit en la fête de la Sainte Trinité, le 9 juin 1895. Après avoir prononcé l'Acte d'offrande, elle pourra dire à sa prieure les effets de cet Amour miséricordieux : « Il la pénètre, l'environne de toutes parts, la renouvelle, purifie son âme et n'y laisse aucune trace de péché. » Est-il besoin de faire remarquer que s'offrir à l'amour est une démarche très proche de la demande d'amour, avec une note de révérence et de respect qui la caractérise ? Quand l'homme découvre qu'il porte l'amour en lui, non comme une réalité, mais plutôt comme un désir, une nostalgie, il se tourne vers la source de l'amour pour qu'elle s'offre à lui et lui demande de venir habiter son cœur. Il est à notre portée de désirer l'amour (comme la prière du reste), mais il n'est pas à notre portée de le réaliser.

Ce qui revient à dire que nous ne pouvons que l'attendre, le désirer et le demander. En ce sens, nous en revenons toujours à la « prière pour demander l'amour », comme dit saint Ignace dans son célèbre *Suscipe*. D'abord, il livra sa liberté tout entière, puis sachant qu'il ne peut rien par lui-même, il lui demande amour et grâce : « Prenez, Seigneur, et recevez toute ma liberté, ma mémoire, mon intelligence et toute ma volonté : tout ce que j'ai et possède, vous me l'avez donné. A vous Seigneur, je le rends. Tout est vôtre. Disposez-moi à tout votre vouloir. Donnez-moi votre amour et votre grâce, c'est assez pour moi » (*Exercices*, n° 234, p. 119. Éd. de l'Orante).

Ce qui est intéressant dans cette démarche d'Ignace, c'est qu'il reçoit toute son existence (liberté, intelligence, volonté) comme un don de Dieu et il le lui rend dans un mouvement d'action de grâce. Au fond, quand un homme s'offre à Dieu, permettez-moi l'expression familière, il ne lui rend que « la monnaie de sa pièce » : la seule chose qu'il puisse lui offrir en propre, c'est son creux, sa misère (au sens métaphysique du terme), son rien (sainte Thérèse de Lisieux), son néant (saint Jean de la Croix) et aussi son désir pour que Dieu le comble de son amour. Ainsi, saint Ignace, après s'être offert à Dieu, « lui demande seulement amour et grâce, cela lui suffit ». Devant Dieu, l'homme le plus saint demeure toujours les mains vides et ouvertes, attendant tout de son Père céleste : « L'homme est un pauvre qui a besoin de tout demander à Dieu » (saint Jean-Marie Vianney).

Il est intéressant de noter ceci : lorsque Thérèse de Lisieux écrira à sa sœur et marraine, sœur Marie du Sacré-Cœur, ses désirs d'embrasser toutes les vocations et sa découverte de l'amour, sa sœur sera prise de panique et trouvera que cela est plus admirable qu'imitable. Ce qui amènera la réponse abrupte de Thérèse (comme le couperet de la guillotine) : « Ce que Jésus aime dans ma petite âme, ce ne sont pas mes désirs d'être tout, qui pourraient être des richesses me rendant injuste, mais c'est de me voir aimer ma petitesse et ma pauvreté » (*M.A.*, p. 230). En un certain sens, c'est sa pauvreté qui attire et demande l'amour.

6. ACTE D'OFFRANDE

C'est à partir de cette attitude de Thérèse et d'une phrase de la Troisième Prière eucharistique (Fais de nous une éternelle offrande à ta gloire), sur laquelle je reviendrai ensuite, qu'il m'a été donné de réfléchir sur une attitude que l'on retrouve chez beaucoup de spirituels et de saints, je veux parler d'un acte d'offrande ou d'une consécration : que ce soit le *Suscipe* chez saint Ignace, une consécration à Marie chez saint Louis-Marie Grignion de Montfort, un acte d'offrande à l'Amour miséricordieux chez Thérèse de Lisieux, une élévation à la Sainte Trinité chez Élisabeth de Dijon, ou même la prière d'abandon du

Père Charles de Foucauld. A un moment donné de leur cheminement spirituel, ils concrétisent leur foi en l'amour du Père et désirent aller encore plus loin dans l'offrande d'eux-mêmes, dans un acte qui résume toute leur attitude spirituelle et qui les pousse à « se livrer » (l'expression est de Thérèse Couderc). J'ai aussi constaté le même désir chez beaucoup de priants à des étapes charnières de leur vie spirituelle. A ces actes précis, j'associerai une parole que nous reprenons souvent à notre compte lorsque nous célébrons l'Eucharistie. Ce n'est pas une démarche à isoler de l'ensemble de la messe, mais elle est très proche de la « consécration ». Après la seconde épiclèse, nous disons cette invocation : « Fais de nous une éternelle offrande à ta gloire. » Rappelons pour mémoire que la première épiclèse est une supplication à l'Esprit Saint pour qu'il vienne changer le pain et le vin au corps et au sang de Jésus Christ, comme il a formé le corps de Jésus dans le sein de Marie (saint Jean Damascène). La seconde épiclèse est encore un appel à l'Esprit pour qu'il nous unisse au corps du Christ et entre nous, afin que nous devenions « une éternelle offrande à la gloire du Père ».

Nous sommes tellement habitués à dire cette invocation que nous ne soupçonnons plus à quoi elle nous engage. A propos de l'Eucharistie, saint Augustin disait : « Deviens ce que tu manges. » Demander à l'Esprit de faire de nous une éternelle offrande à la gloire, c'est s'offrir à l'amour : « Je veux m'appliquer à faire toujours la volonté de Dieu, avec le plus grand abandon » (cité plus haut), sinon nous nous moquons de Dieu et nous l'honorons des lèvres alors que notre cœur est loin de lui. C'est pourquoi il nous faut réfléchir à ces actes de consécration et, d'une manière plus large, à ce que nous vivons dans l'Eucharistie. J'ai déjà abordé cette question à propos de la consécration à Marie, mais je voudrais la reprendre (en me répétant forcément) d'une manière plus approfondie en l'élargissant à notre consécration baptismale qui est une prise de possession de notre être par le Saint-Esprit. Ce sera un commentaire de l'Acte d'offrande à l'Esprit que je donnerai en terminant.

Ai-je besoin de dire que les objections contre ces « actes » ou ces « consécrations » ne manquent pas ? Je ne les énumérerai pas ici, chacun a les siennes, il faut en tenir compte et pendant longtemps j'ai éprouvé des réticences devant ces formes adjacentes de dévotion. Cependant, je suis obligé de reconnaître les fruits qu'ils produisent dans la vie des nouveaux convertis : je pense ici à tous ceux qui se consacrent à Marie après une retraite dans un Foyer de charité. Le Pape fait allusion à ce renouveau lorsqu'il parle explicitement de la consécration au Christ par les mains de Marie : « Je constate avec plaisir que notre époque actuelle n'est pas dépourvue de nouvelles manifestations de cette spiritualité et de cette dévotion[6]. »

J'ai aussi constaté que dans toute vie spirituelle, il y a une étape charnière – je l'ai déjà dit plus haut – où l'on bascule d'une vie à dominante active où l'on remet le gouvernail entre les mains d'un pilote, le Saint-Esprit, au lieu d'être soi-même le capitaine de son navire. C'est ce qui m'a amené à composer cet acte d'offrande à l'Esprit Saint. Le jour où l'on comprend réellement qu'il faut se laisser guider par le Saint-Esprit (Ga 5, 16), que lui est premier par rapport à nous et que la meilleure attitude pour nous est de nous laisser faire par lui, alors on se livre à sa conduite et à son action. C'est un peu comme si l'on

6. Jean-Paul II, *Redemptoris Mater*, n° 48, p. 105.

signait un chèque en blanc entre les mains du Saint-Esprit, car on ne décide plus rien par soi-même, mais on est sans cesse à son écoute pour suivre ses moindres suggestions. Cela suppose évidemment qu'on ait perçu par le dedans que c'est lui qui dirige notre vie. Mais il y a quand même, à un moment donné, un acte de liberté à faire pour lui donner carte blanche et mainmise sur toutes les zones de notre personne : cœur, corps, esprit, etc. Une fois que la décision a été prise, quelque chose se passe en profondeur qui situe notre vie sur un autre registre plus doux et plus aisé. On passe de la troisième à la quatrième vitesse ! Que serait une existence totalement vécue dans l'obéissance à l'Esprit Saint ?

Je voudrais préciser pourquoi j'ai préféré l'expression « acte d'offrande » à « consécration ». A proprement parler, on ne se consacre pas, mais on est consacré par le feu de l'Esprit. Ce n'est pas nous qui nous consacrons, mais le Père qui nous consacre dans la vérité et la sainteté, selon la prière sacerdotale du Christ en saint Jean 17, 17. Et cependant, nous avons quelque chose à faire, une décision à prendre, en un mot, nous touchons ici au mystère le plus profond de notre relation avec Dieu, que j'appellerai le mystère de l'holocauste.

Dans un de ses livres, Jean Guitton essaie d'approcher ce mystère par trois mots qui nous livrent le secret de la sainteté : l'ablation, l'oblation et l'holocauste. Dans un premier temps, l'homme soustrait au déroulement profane de son histoire la matière du sacrifice (ablation). Dans un deuxième temps, il se saisit de la matière de son existence, dans un acte de liberté, pour l'offrir au Père, dans l'unique sacrifice du Christ (oblation). Enfin, il supplie le feu de l'Esprit de bien vouloir descendre sur son offrande pour la consumer. C'est le mystère de l'holocauste, si bien résumé par Paul, au chapitre 12 de l'épître aux Romains : *Je vous exhorte, frères, par la miséricorde de Dieu* (le feu très doux de l'amour miséricordieux) *à offrir vos personnes* (*sarx* = chair), *en hostie vivante, sainte et agréable à Dieu : c'est là l'adoration véritable* (Rm 12, 1).

7. AVEC LA CRÉATION TOUT ENTIÈRE, DANS L'ÉGLISE

Et cette offrande, l'homme la réalise avec la création tout entière et l'Église : *Toute la création jusqu'à ce jour gémit en travail d'enfantement. Et non pas elle seule : nous-mêmes qui possédons les prémices de l'Esprit, nous gémissons nous aussi intérieurement dans l'attente de la rédemption de notre corps* (Rm 8, 22-23). C'est l'homme tout entier, inséré dans le cosmos et l'histoire des hommes en travail d'enfantement, qui s'offre à l'Esprit pour que la création tout entière devienne une louange au Père, c'est-à-dire une prière continuelle.

Une des raisons pour lesquelles il y a eu des réticences à ces actes de consécration, c'est leur caractère intimiste et souvent individualiste, sans parler du langage utilisé qui ne se ressourçait pas suffisamment à l'Écriture. En composant cet acte d'offrande, nous avons cru bon de le replacer dans la totalité de l'expérience chrétienne et ecclésiale. Et pour cela, la meilleure manière était de partir de l'expérience de l'Esprit, faite par l'Église primitive et rapportée dans les Actes des apôtres.

Dès le départ du Christ, les apôtres sont demeurés dans la ville, en prière avec Marie, Mère de Jésus, dans l'attente d'être revêtus d'une force d'en haut. C'est donc dans un climat de prière intense et persévérante qu'ils ont disposé leur cœur à accueillir la puissance de l'Esprit. Et cet Esprit ne leur a pas seulement été donné pour leur propre sanctification, mais pour annoncer au monde le Christ ressuscité. A partir des signes et des miracles qu'ils ont opérés, ils ont toujours affirmé que c'était la puissance du nom de Jésus qui avait agi à travers leurs personnes. C'est pourquoi l'expérience de l'Esprit n'est jamais purement individuelle. Proprement personnelle, certes (c'est pourquoi elle requiert un acte de liberté dans lequel nous engageons toute notre vie), mais non moins communautaire, en relation étroite avec une Église où elle se découvre, se nourrit et se vérifie. L'Église est le milieu vital, maternel, de l'expérience spirituelle du chrétien, là où se vit, pour le Corps tout entier, sa consécration à l'Esprit. En ce sens, nous croyons que la fin ultime de l'acte d'offrande est de libérer en nous la puissance de l'Esprit par la conversion du cœur, afin que le corps tout entier de l'Église soit sanctifié par la puissance de ce même Esprit, par la prière et l'annonce de la Parole, accompagnée de signes et d'assurance (*parrhésia*).

8. UNE CONSÉCRATION QUI DEVIENT PRIÈRE

Enfin – et c'est peut-être là l'aspect le plus important de cette attitude spirituelle d'offrande –, à notre avis, il ne faut jamais parler de consécration sans parler en même temps de supplication. C'est pourquoi nous avons lié le paragraphe de l'offrande à celui de la prière continuelle qui le suit immédiatement, selon la parole du Christ qui enjoint à ses disciples de toujours prier sans jamais se lasser. Un de mes amis, qui avait fait l'acte de consécration à la Vierge après une retraite dans un Foyer de charité, me disait récemment qu'il avait de plus en plus de difficulté à renouveler cette consécration. Et il m'en disait la raison très simple : « En expérimentant ma faiblesse quotidienne, le fait que je renie en permanence l'acte que j'ai posé, j'ai l'impression que ces paroles me brûlent les lèvres et que je mens en les prononçant. »

Et c'est vrai qu'une espèce d'hypocrisie pourrait s'installer en nous, ou ce qui est aussi grave, une bonne conscience, quand nous vivons continuellement en deçà des engagements que nous avons pris. On comprend que beaucoup préfèrent s'abstenir d'une telle démarche, qui n'est pas vraie pour eux. Cependant, il faut regarder de plus près cette réaction qui, tout en étant sincère, ne correspond pas toujours à la réalité et à la vérité. Il y a une possibilité réelle de vivre un acte d'offrande à l'Esprit Saint tout en expérimentant quotidiennement que nous en sommes incapables. Mais pour cela, il faut jeter un pont entre la consécration et l'expérience quotidienne : c'est le pont de la confiance qui engendre en nous le dynamisme de la supplication.

Ce qui revient à dire que pour être consacré en permanence, il faut être en état de supplication permanente. Ici, le modèle est pour nous la Vierge Marie qui, d'un bout à l'autre de son existence, a vécu l'obéissance de la foi, c'est-à-dire la consécration à la volonté du Père, résumée dans sa réponse à l'ange : *Qu'il m'advienne selon ta Parole* (Lc 1, 38). Lorsque nous contemplons le *Fiat* de la Vierge et que nous regardons notre réponse à la proposition de Dieu, nous risquons toujours d'osciller entre une imagination un peu « larmoyante », pour ne pas dire « rêvassante », d'une vie où nous serions tout à fait livrés à Dieu, et une forme d'angoisse ou de panique qui mène au découragement, en avouant que c'est impossible pour nous. Il faut renvoyer dos à dos cette double attitude de présomption et de désespoir en nous rappelant que Marie a été livrée en permanence au bon vouloir du Père parce qu'elle a cru sans cesse à la parole de l'Ange qui lui a dit : *Rien n'est impossible à Dieu* (Lc 1, 37). En d'autres termes, Marie était totalement consacrée à Dieu parce qu'elle était en état de supplication permanente. C'est pourquoi les Pères de l'Église l'appellent la *Toute Puissance suppliante*.

En ce sens, toute consécration dans l'Église – même celle à l'Esprit Saint – doit passer par elle, non pas comme le terme de l'offrande, mais comme celle qui nous aide à persévérer dans la prière, comme elle a soutenu la persévérance des disciples au Cénacle. Il fallait qu'elle soit là pour attirer, comme un miroir parabolique, les rayons du soleil de justice et mettre le feu au cœur des disciples. C'est pourquoi nous faisons passer cette offrande par le cœur, les mains et surtout la prière de la Vierge Marie.

A aucun moment, on ne peut dissocier l'acte de consécration de l'état de supplication permanente qui le suppose et le nourrit. On pourrait presque dire que l'attitude concrète d'un acte de consécration est le désir et la décision de prier toujours, sans jamais se décourager, comme le dit Jésus dans l'Évangile (Lc 18, 1). Ce qui faisait dire à Grignion de Montfort – le maître de la consécration – « qu'on a franchi un grand pas dans la vie spirituelle, quand on sait transformer toutes ses résolutions en demandes ». Au lieu de dire : « Je me consacre à l'Esprit Saint, on dit plus simplement et plus humblement : "Père, au Nom de Jésus, donne-moi ton Esprit afin que je sois une éternelle offrande à ta gloire". »

Trinité Sainte, nous confessons la Puissance de Dieu qui a ressuscité Jésus d'entre les morts et nous croyons que l'Esprit a été répandu en abondance sur Marie et les apôtres réunis dans la prière au Cénacle. Nous te louons pour la force d'en haut qui a revêtu les disciples et a fait d'eux des témoins du Christ ressuscité, par les dons et les charismes donnés à l'Église.

Nous confessons aussi qu'au baptême, nous avons été saisis par la puissance de ce même Esprit qui a fait sa demeure en nous et nous a identifiés au Christ vivant, faisant de nous des fils adoptifs du Père et des temples de la Trinité Sainte.

Nous avouons aussi que cet Esprit est emprisonné dans nos cœurs de pierre et qu'il ne peut pas déployer dans notre vie et dans l'Église, par des signes éclatants, la puissance du nom de Jésus ressuscité.

C'est pourquoi nous supplions Jésus, assis à la droite du Père, de bien vouloir le prier, en son nom, pour qu'il nous envoie l'Esprit Saint. Qu'il éclaire notre intelligence pour nous faire découvrir la volonté du Père, qu'il nous donne sa force pour l'accomplir et qu'il allume dans notre cœur le feu de son amour.

Comme l'Esprit nous consacre dans la vérité et la sainteté, nous voulons lui offrir tout notre être et nous livrer à son action créatrice et sanctificatrice. Nous confions cette offrande de la vierge toute pure et toute sainte, afin qu'elle nous obtienne la grâce d'obéir à toutes ses inspirations.

Comme nous ne savons pas prier comme il faut alors que Jésus nous demande de prier sans cesse, nous demandons à l'Esprit Saint de venir prier en nous avec des gémissements ineffables. Qu'il fasse jaillir la prière des profondeurs de notre cœur, le guérisse de toutes ses blessures et nous introduise dans les profondeurs de l'amour trinitaire.

Enfin, nous demandons à l'Esprit de déployer en nous la puissance du Ressuscité afin que se produisent des guérisons, des signes et des prodiges par le nom de Jésus et que nous puissions annoncer avec assurance la Parole de Dieu.

Amen.

TABLE DES MATIÈRES